GW00992806

COLLECTION
FOLIO/ESSAIS

Françoise Dolto

Tout
est langage

Édition revue et présentée
par Claude Baldy-Moulinier,
Gérard Guillerault
et Élisabeth Kouki

Gallimard

Préface

Il s'agit ici de l'édition revue et corrigée du livre paru sous le même titre (aux Éditions Vertige/Carrère) en 1987, reprenant le contenu d'une journée de conférence et débat conduite par Françoise Dolto en 1984 à Grenoble, dont l'intitulé précis avait été : « Le dire et le faire. Tout est langage. L'importance des paroles dites aux enfants et devant eux. »

Que les éditions antérieures aient nécessité une révision, c'est peu dire. Pour en donner un aperçu, mentionnons seulement qu'on y trouvait ici et là attribués à Françoise Dolto des propos qui venaient en fait de son auditoire, et inversement. Ce qui indique assez le peu de soin accordé au travail éditorial dans les premières versions.

Mener à bien la révision de ce texte n'a pas été pourtant une tâche facile. Jusqu'où en effet fallait-il aller (ou ne pas aller) dans la reprise d'un écrit que l'auteur avait laissé publier en l'état à l'époque, en dépit des maladresses, des multiples coquilles et incorrections qui s'y trouvaient encore ?

Comme il se doit, et conformément aux options déjà retenues dans la présente collection, nous avons choisi d'adopter une stratégie minimale, nous efforçant en règle générale de ne toucher que le moins possible au texte initial, nous contentant d'y apporter les modifications requises pour lui restituer toute sa lisibilité. Et ce, sans méconnaître la difficulté supplémentaire tenant à la nécessité d'y donner forme écrite quand il s'agissait au départ d'une communication orale. D'où l'exigence de ne pas amoindrir pour autant la qualité de spontanéité et la verve si caractéristique du style parlé de Françoise Dolto. Ceci a pu impliquer par exemple de laisser tels quels des passages qui correspondaient surtout à l'élan d'une parole déliée, au cheminement associatif d'une pensée progressant à bâtons rompus. De même, là où les enchaînements logiques n'étaient pas explicites, nous avons renoncé à introduire une articulation qui eût été trop interprétative et préféré laisser au texte ses ambiguïtés apparentes.

Ce qu'il importe de remarquer, c'est que l'on découvre ici le témoignage d'un aspect relativement méconnu des multiples modalités d'action et de transmission de Françoise Dolto. À savoir ce qui l'a menée à pérégriner inlassablement là où elle pouvait propager le message de ce qui constituait pour elle la bonne

nouvelle de la psychanalyse, là où cela pouvait contri-
buer surtout à servir la « cause des enfants ». De fait,
à partir des années soixante-dix, elle n'a cessé de
se rendre ainsi disponible quand on la sollicitait
pour venir parler de son expérience, témoigner de sa
réflexion, apporter son concours aux questions des
uns et des autres, qu'ils soient praticiens de l'enfance,
enseignants, éducateurs, etc. Outre un certain nombre
de voyages à l'étranger (Québec, Amérique latine,
Pologne, Grèce…), Françoise Dolto aura ainsi
sillonné l'Hexagone, en acceptant de se déplacer dans
les crèches, les écoles, les institutions psycho-éduca-
tives, toujours prête à répondre aux interrogations des
professionnels et des auditeurs les plus divers, aussi
bien grand public que psychologues ou psychanalystes
en formation, travailleurs sociaux, etc. Il appartien-
dra aux biographes de reconstituer le chemin qu'elle
a ainsi parcouru, en véritable militante de l'incons-
cient, là où il s'agissait pour elle d'en faire le moyen
d'affranchissement du sujet pour le social.

Françoise Dolto n'était certes pas la seule à consi-
dérer que la psychanalyse ne s'adresse pas qu'aux psy-
chanalystes, qu'elle doit au contraire être largement
ouverte et accessible à tous ceux qui peuvent avoir à
bénéficier de son message humain. Mais elle avait en
outre ce talent unique qui la rendait capable d'être
pleinement présente et enseignante, aussi bien dans les

colloques savants que face aux questions du tout-venant, ainsi qu'on le vérifie ici dans ce livre où elle répond à un public pour une part non averti.

Le plus surprenant étant alors qu'il n'y ait justement pas pour elle de solution de continuité entre l'aspect proprement technique de son travail psychanalytique, clinique et théorique, et ce qu'elle pouvait en répercuter directement ou indirectement à des interlocuteurs de toute provenance, y compris hors du sérail de l'analyse, dès lors que le respect du sujet enfant était en jeu. D'où le côté singulier de ce qui rend composite un livre comme celui-ci, où l'on découvre des propos certes inspirés par l'expérience analytique et sa théorisation, mais cependant retransmis à des fins pédagogiques, éducationnelles, ou psychosociales.

Que l'on se garde pourtant de n'y voir que des recettes, ou des conseils au quotidien. Mais le rappel, plutôt, de ce qu'une théorie ne vaut qu'à s'inscrire dans les faits, en l'occurrence les faits psycho-éducatifs et sociaux, car c'est là qu'elle avère sa pertinence et son efficacité, qu'elle confirme sa portée thérapeutique. On notera d'ailleurs que Françoise Dolto ne délivre pas de leçon magistrale du haut de ce qui serait l'autorité de son expérience. Sa façon de se prêter au jeu des questions-réponses révèle plutôt comment elle est présente à l'écoute de l'autre, au point d'en infléchir la modalité même du contenu de sa réponse. Contrairement à une méprise courante, cela ne saurait faire de ses thèses des énoncés dogmatiques valant une fois pour toutes, mais davantage des énonciations prises dans le contexte de la relation à son vis-à-vis, dans la présence à ce qui est aussi l'inconscient de l'autre, ce qu'il ne dit pas dans ce qu'il dit, et sur quoi Françoise Dolto aligne alors sa réponse, en laissant cheminer relationnellement sa pensée. Ce livre est tout imprégné de ce qui est ainsi son sens de l'autre (dans le transfert).

On se méprendrait donc largement si l'on considérait n'avoir affaire qu'à un propos restrictivement pragmatique, répondant au seul souci de l'action éducative de base (à supposer d'ailleurs que ce soit là un appauvrissement de la pensée...). Sans doute y a-t-il place, cependant, pour telle ou telle observation, telle ou telle recommandation, tel ou tel conseil, et aux niveaux les plus divers où se formulent les différentes questions. Mais c'est sans que soit jamais réduite pour autant, ni écartée, cette référence constamment rappelée à la psychanalyse, ce qui fait que le propos de Françoise Dolto, si proche du quotidien qu'il puisse sembler dans son contenu, ne cesse de renvoyer à ce cadre de pratique et de pensée dans lequel seulement il prend sens. Il est alors frappant de constater comment tout au long de cette journée où elle répond aux questions les plus disparates, Françoise Dolto parvient pourtant à distiller l'essentiel de ce qui fonde pour elle la psychanalyse, en mettant notamment l'accent sur la symbolicité en jeu dans le devenir et l'épanouissement subjectif de l'humain, sur la fonction du père comme tiers de la mère — sur ce qui peut s'en produire à défaut comme dérive psychotique —, sur le respect du désir dès le plus jeune âge, etc.

L'ambition théorique doctrinale qui s'affirme ici — en public —, c'est aussi celle que résume le titre finalement retenu : tout est langage. Derrière la simplicité de la formule se profile d'ailleurs un propos plus complexe, dont on risquerait de perdre la résonance si l'on ne s'en tenait qu'à la surface de l'énoncé. Sans doute cela conduit-il d'abord à la recommandation — trop souvent banalisée ou déformée depuis — du « parler à l'enfant ». Françoise Dolto martèle ici de façon appuyée la nécessité, en toutes circonstances (même dramatiques), de cette parole expressément dite à ou devant l'enfant. Mais son « tout est langage » va bien au-delà puisqu'il consiste aussi à repérer comment, à un autre niveau fondamental, ce peut être jusque dans et par son corps que l'enfant exprime, laisse exprimer, ce qu'il ne peut parfois signifier autrement (et sans que ceci soit seulement réductible au chassé-croisé de la psychosomatique). Dire que tout est langage vient réaffirmer, dans le voisinage

12

conceptuel de Lacan, l'importance et la primauté de la parole, mais jusque dans ses incidences corporelles, là où c'est aussi le corps qui peut s'avérer témoigner de cette symbolicité relationnelle à l'œuvre chez le sujet humain, si jeune soit-il. C'est aussi corporellement, charnellement, que tout prend sens chez l'humain, tout prend « sens langage ». Et c'est ainsi qu'un corps se subjective, devient le corps d'un sujet qui dit « je ».

Libre alors à chacun, comme c'est le cas pour Françoise Dolto, de retrouver dans cette alliance intrinsèque du corps et du langage, la façon même dont le verbe se fait chair, dont la chair se fait pour le sujet porteuse du verbe.

Gérard Guillerault[*].

[*] Gérard Guillerault est psychanalyste. Il a été membre de l'École freudienne de Paris. Il a suivi l'enseignement de Françoise Dolto et participé au démarrage de la Maison Verte. Il est psychothérapeute (d'enfants) à l'hôpital Trousseau. Outre divers articles et conférences, il a publié un travail sur l'image du corps (chez Françoise Dolto) : Le Corps psychique, Éd. Universitaires, 1989, qui doit être prochainement réédité.

Avant-propos

Ce livre est un « écrit » d'après une conférence faite à Grenoble le 13 octobre 1984 à des psychologues, des médecins et des travailleurs sociaux[1].

Je désirais faire saisir à cette partie si importante de la population qui s'occupe d'éducation, d'enseignement, de soins aux enfants et aux jeunes en difficultés physiques, psychiques, affectives, familiales ou en difficultés sociales, l'importance des paroles dites ou non dites sur des événements qui marquent actuellement ou ont marqué la vie d'un enfant, souvent à son insu et parfois à l'insu de son entourage.

Peu d'entre les auditeurs étaient formés à la psychanalyse, y compris Mme Combaz elle-même qui avait organisé la rencontre. Mais tous voulaient comprendre ce que la psychanalyse pouvait éclairer de leurs questionnements quotidiens au cours de leur travail relationnel auprès des enfants dont ils avaient la charge à des titres divers.

Mon propos était d'éveiller ce public d'adultes, vivant au contact d'enfants, au fait que l'être humain est avant tout un être de langage. Ce langage exprime son désir inextinguible de rencontrer un autre, semblable ou différent de lui, et d'établir avec cet autre une communication.

Que ce désir est inconscient plus encore que conscient, c'est ce que je voulais faire saisir. Que le langage parlé est un cas particulier de ce désir et que, bien souvent, ce langage parlé fausse la vérité du message, à dessein ou non. Que les effets de ce jeu de masques de la vérité sont toujours dynamiques — je veux dire vitalisants ou dévitalisants —, pour la personne en cours de développement, l'enfant concerné.

Voilà ce que je voulais éclairer par l'expérience de nombreuses années de pratique psychanalytique avec des enfants, des adolescents, des parents, des adultes tutélaires, douloureusement éprouvés les uns et les autres par des incompréhensions mutuelles, parfois précocissimes, et alors plus traumatisantes pour l'avenir.

Je livre ici la transcription retravaillée de trois ou quatre heures d'échange. Les auditeurs posaient de nombreuses questions touchant leur pratique éducatrice ou sociale quotidienne. J'ai tenté d'éclairer les problèmes qui étaient posés du point de vue de la dynamique du sujet lui-même, l'enfant, à travers le problème existentiel d'objet qui paraît toujours dominer dans le souci des éducateurs et des parents.

Il me paraît qu'un travail comme celui-ci éclaire, mieux que les écrits théoriques, beaucoup de personnes engagées dans le travail social avec des jeunes en situations difficiles.

J'espère faire comprendre ainsi le rôle du « parler vrai », le vrai tel que ces adultes le communiquent à des enfants qui, non seulement le désirent inconsciemment, mais ont besoin de la vérité et y ont droit, même si leur désir conscient lorsqu'ils s'expriment en paroles, à l'invitation des adultes, préfère le silence trompeur qui génère l'angoisse, à la vérité, souvent douloureuse à entendre mais qui, si elle est parlée et dite de part et d'autre, permet au sujet de s'en construire et de s'en humaniser.

F. Dolto, *décembre 1986.*

MME COMBAZ : *Madame Dolto, j'ai le plaisir de vous accueillir et un grand merci à vous dire d'être là, et je suis très heureuse que nous soyons si nombreux à être intéressés par le propos de cette journée organisée par le Théâtre-Action, Centre de création, de recherche et des cultures. Elle s'inscrit tout naturellement comme une étape dans le processus de travail que nous avions mis en route depuis 1972, dans le cadre « Recherche et Enfance ».*

Je passe la parole tout de suite à Françoise Dolto, qui vous parlera pendant une heure, puis, après une pause, nous proposons que les personnes qui sont ici prennent la parole, et qu'un rythme plus naturel se mette en place.

FRANÇOISE DOLTO : Je vous remercie d'être venus si nombreux, et tant de jeunes. Cela me fait toujours plaisir quand je vois des jeunes s'intéresser à la recherche, à la génération montante, aux enfants. Et puisque c'est cela notre propos aujourd'hui, je suis extrêmement contente de voir des gens qui ne sont pas encore parents, car je crois que c'est avant d'être parents qu'il faut réfléchir au problème de sa propre enfance périmée, pour être prêt à accueillir les autres, non pas comme des répliques de soi-même, mais comme un renouvellement dans un autre monde, pour une tout autre vie, qui est celle de nos enfants.

Les enfants qui naissent aujourd'hui auront à assumer... nous ne savons pas du tout quoi ! C'est la chose très importante de notre époque : l'éducation est obligée de penser, d'armer les enfants pour une vie dont nous ne savons pas ce qu'elle sera, qui est en train de changer constamment, et ceci déjà depuis le début du siècle. (Je parle comme une personne qui est très âgée, parce que c'est vrai, j'en ai l'expérience.)

J'ai eu très précocement l'expérience de la guerre (de 1914), et de la modification totale de la vie des familles à tous les niveaux sociaux. Pendant cette guerre, et pendant les quelques années qui ont suivi — c'était véritablement révolutionnaire —, il y a eu dans beaucoup de familles un très grand traumatisme. Cela m'a énormément marquée, et dans le sens positif. C'était des faits langagiers qui me faisaient réfléchir ; c'était des faits que j'observais et qui me questionnaient.

Ensuite, il y a eu la Seconde Guerre, que beaucoup d'entre vous n'ont pas connue, avec pour la France (je ne parle que de la France, je n'en connais pas les effets dans les autres pays) cet extraordinaire désarroi dans les familles, le fait de deux vérités étatiques impliquant que les familles étaient divisées, qu'elles se l'avouaient ou non, et se méfiaient les unes des autres. Et puis, énormément de souffrance du fait de la séparation d'hommes et de femmes séparés par les événements de guerre, les prisons, les camps de la mort.

En France on ne risquait pas tellement la mort, mais cela a été la mort des relations, d'autant qu'on ne pouvait communiquer d'un bout de la France à l'autre que par des cartes laconiques d'une trentaine de mots.

Cette brisure des liens familiaux, des liens conjugaux, des liens paternels et filiaux du fait de la séparation, cela a été extraordinaire. Pour vous dire comment l'agir est langage : par exemple, les enfants dont la mère apprenait que le père était prisonnier. On n'avait pas de nouvelles pendant un certain temps, papa était à la guerre, et tout à coup on apprenait qu'il avait été fait prisonnier. Eh bien, dans les hôpitaux de Paris, du jour au lendemain, dans la semaine de l'arrivée des nouvelles de tous ces prisonniers, les consultations d'enfants, dites neuropsychiatriques, ont reçu brusquement des quantités de garçons de cinq à dix, onze ans qui se sont remis à faire pipi au lit. Voilà l'effet psychosomatique d'être honteux d'un papa qui aurait dû se faire tuer. Tout simplement, les enfants voyaient maman heureuse que papa soit prisonnier : ce qui était la honte pour l'enfant ! Prisonnier, c'était mal, c'est qu'il avait fait une saloperie. L'enfant ne pouvait pas du tout comprendre que le prisonnier « de guerre » est différent du délinquant.

De là tout le travail de la psychothérapie avec ces enfants pour comprendre que leur héros, leur papa à la guerre, les photos qu'ils avaient pu recevoir, le papa en uniforme, tout cela soit devenu, dans leurs articulés mentaux, quelqu'un qui avait abandonné son foyer. Maman était contente qu'il ne soit pas là. Ce n'était pas vrai mais, comme il aurait pu être mort et qu'il ne l'était pas, elle était toute contente de dire : « Ah, vous savez, il est prisonnier. » Alors, pour l'enfant, sa mère était folle, elle aimait qu'on soit prisonnier ! Prisonnier devenait une valeur séductrice.

Alors, la petite délinquance a commencé, très forte elle aussi, mais ceux-là, ce n'est pas nous qui les voyions ; nous, c'était la délinquance par rapport à soi-même, c'est-à-dire la non-maîtrise de soi, la perte du niveau de maîtrise du corps qui traduit un niveau d'affectivité permettant d'arriver à la continence sphinctérienne. Et la perdre, c'est un langage de non-maîtrise de soi chez l'enfant.

Tous les mammifères sont continents, tous. L'incontinence d'urine et l'incontinence des matières n'existent pas chez les mammifères, sauf par blessure neurologique. Il n'y a que les êtres humains qui, par langage et par sens sacré de leurs relations à leurs parents, font « pipi au lit, caca culotte ». Cela n'a rien à voir avec le mammifère humain, qui serait propre comme disent les mères, qui serait continent si on ne s'en était jamais occupé dans le sens de donner valeur au fait d'être rythmé comme il complaît à la mère, c'est-à-dire en lui donnant son pipi ou son caca quand elle le demande. Les vaches et les taureaux ne demandent pas à leurs veaux et à leurs génisses de faire pipi-caca quand elles le leur demandent. Pour faire plaisir à leur mère, les enfants hélas en sont capables avant terme, c'est-à-dire avant maturité totale de leur système nerveux.

Je peux vous dire qu'un enfant qui est propre très très tôt peut devenir schizophrène. J'en ai connu un qui n'a jamais, après la maternité, sali ses couches, jamais. Il est devenu schizophrène : un enfant qui était né pour devenir un être remarquable ! Ce sont les êtres les plus fins, les plus humanisables qui remplissent nos IMP[2], les enfants dits arriérés ou dits psychotiques. Ce sont des enfants précocissimes par rapport à d'autres sur le plan de l'affectivité et de la sensibilité à la relation et qui — à cause d'un décodage de langage entre eux et les parents qui ne comprennent pas du tout que cet enfant est intelligent, ou à cause de paroles qu'ils ont entendues trop tôt, et qui dévalorisent leurs relations filiales ou leur sexe (par exemple : désespoir qu'ils soient du sexe qu'ils montrent en naissant) — sont bouleversés de ne pas satisfaire le dieu et la déesse de leur vie fœtale : les parents qui parlent à l'extérieur, les voix qu'ils entendent *in utero* dès l'âge de quatre mois, c'est vraiment ce qui les attire à naître pour être en relation avec eux.

C'est une découverte tout à fait récente pour beaucoup de gens. Pour moi, elle est très ancienne. J'ai été précurseur dans ce domaine, et je suis très heureuse de voir que maintenant cela se généralise, alors que, lorsque j'étais dans les hôpitaux, ou même après, les gens disaient : « Elle est un peu comme ça[3] ! »

N'empêche qu'ils constataient que des enfants déjà atteints reprenaient vie et communication, alors qu'ils étaient déjà engagés dans une fermeture d'eux-mêmes, parce que c'était des enfants très précoces et qu'ils avaient besoin d'entendre qu'ils étaient reconnus comme intelligents, bien qu'ils soient encore incapables de parler, qu'ils étaient reconnus comme étant à l'écoute. Il fallait donc leur parler de ce dont ils souffraient exactement et alors, ils reprenaient vie de cette relation de sujet à sujet qu'on pouvait avoir avec eux.

Ce langage de se refuser à être conforme au rythme demandé par les parents, ou par la mère, ce peut être un langage salvateur du sujet, mais alors sans les expériences qui édifient un futur Moi articulé au sujet.

Ce sont donc tous ces enfants qui ont rempli les consultations du jour au lendemain, leur mère ne comprenant absolument pas ce qui leur arrivait, ni le médecin généraliste qui les envoyait en neuropsychiatrie, alors que c'était son travail de parler à l'enfant. Mais à ce moment-là, les généralistes et les pédiatres ne savaient pas ces effets de la psychologie, de la structure éthique en marche chez un enfant, ces brisures, ces traumatismes qui faisaient qu'il était, pour survivre, obligé de retourner dans son histoire à l'époque où le père n'avait pas son prestige. Pour pouvoir rester sain, il lui fallait n'être pas un garçon engagé dans la vie génitale. Donc, on faisait comme si c'était encore du pipi, du caca, un fonctionnement perturbé du côté du bassin. En effet, mais par souffrance de fils, impossible à dire autrement.

Il faut aussi ajouter que, au bout de quelques jours, la mère était rassurée sur la vie de son homme, surtout quand elle recevait une lettre disant qu'il ne s'ennuyait pas — je parle surtout des stalags où cela a été moins long que dans les oflags et où les hommes étaient employés tout de suite à travailler dans les fermes[4]. Elle voyait très bien qu'il était en bonne santé physique et morale, elle se doutait bien qu'il devait avoir des relations avec des femmes, ce qui était vrai, et elle se mettait à gamberger, à être jalouse des Allemandes.

Les enfants entendaient quand elle parlait à la voisine de ce que leur père devait faire, qu'il avait l'air si content là-bas, que l'Allemagne était un pays formidable. Beaucoup de gens recevaient des lettres de ces jeunes prisonniers disant : « J'apprends ici la manière de cultiver ci, de cultiver ça. » Il est vrai que dans les campagnes, les hommes ouvraient leurs yeux et leurs oreilles à la politique nazie car, au début surtout, tous ces gens bien organisés, ça leur en flanquait plein la vue. Je parle des débuts ; après, quand cela s'est délabré, c'est devenu tout différent...

Pour comprendre ce désarroi qui jouait sur le somatique des enfants, il faut comprendre que tout ce qui est acte ou dire d'acte concernant la personne structurante de l'enfant, c'est-à-dire son père et sa mère — personne bicéphale au début qui, ensuite, devient l'humain en tant qu'homme, en tant que femme, autrement dit, les deux premières images —, que tout ce qui touche à l'agir de ces personnes, à leur dire, à leur comportement, structure l'enfant. Ce n'est ni négatif ni positif, c'est effectif, c'est dynamique, vitalisant ou dévitalisant.

Positif ou négatif, cela va découler de la façon dont nous apprécions la réaction de l'enfant. Justement, si on félicitait l'enfant de refaire pipi au lit, alors que sa mère lui faisait des tas de reproches, c'était terminé en trois ou quatre jours. Il fallait le féliciter de ce qu'il réagissait à une nouvelle bouleversante pour lui, mais aussi lui faire faire le chemin de comprendre que c'était valeureux et pas du tout dévalorisant d'être prisonnier en temps de guerre, que son père n'était pas un salaud qui tombe sous la loi pour avoir commis un acte délinquant. C'était difficile, surtout quand on ne croyait pas tout à fait à cette « glorification » des prisonniers en tant que tels.

Vous savez, même si en tant que psychanalyste, on ne croit pas tout à fait que c'est valeureux d'aller tuer le voisin parce qu'il est sous un autre uniforme, on est bien obligé de dire à l'enfant : « Il a obéi à sa patrie, et puis il a été pris parce que les Allemands étaient plus forts, ce n'est pas sa faute à lui, il est très courageux ! », enfin, tout ce qu'on peut raconter à un enfant pour justifier le fait que son père ne s'est pas battu à mort. Il aurait été très fier de recevoir une médaille si son père était mort au champ d'honneur, car c'est quand même arrivé que des petits camarades aient eu leur père tué. Alors, ceux-là qu'est-ce qu'ils se vantaient ! « Ton père, il s'est fait faire prisonnier ; le mien, il s'est fait tuer, hein ! », etc. Celui dont le père s'était fait tuer était quelqu'un de formidable, et l'autre, c'était un minable.

Et un minable, cela se comporte comme un minable, cela devient un punk pour lui-même, cela se mouille, cela s'oublie, cela « cacate ». Parce que le phénomène punk[5], c'est cela aussi : se faire remarquer parce que c'est sacré de se faire remarquer, étant donné que si on était seulement le fils ou la fille des parents qu'on a, on aurait honte de soi ; donc, on appuie sur la chanterelle du bizarre. Les gens les regardent en disant : « les pauvres gosses » alors qu'en fait ils sont en train de défendre ce qu'il y a en eux de sacré, qui est le sujet, en disant : « Regardez-moi, je suis une caricature mais je vous emmerde, et puis je deviendrai quelqu'un de formidable. » Ils l'espèrent, heureusement, car ils ne pourraient pas vivre sans cette espérance. Eh bien, le punk, au niveau de quatre ans, c'est pipi-caca.

Tout ceci pour vous faire comprendre que ces événements ont été vécus par tout le monde. Nous parlons des enfants, mais c'était la même chose pour les mères. En même temps que les consultations d'enfants montaient en nombre, les consultations gynécologiques étaient aussi, du jour au lendemain, remplies de femmes qui n'avaient plus leurs règles. Comme elles n'avaient pas de rapports sexuels, elles savaient bien qu'elles n'étaient pas enceintes mais elles venaient, inquiètes de leur santé, parce qu'elles n'avaient plus leurs règles. Et depuis quand? Depuis qu'elles savaient leur mari prisonnier. Alors, on mettait les voies génitales en pénitence. La femme faisait une régression à sa prépuberté, elle n'était pas réglée, elle ne risquait pas de tromper son mari.

C'est ce travail, tout à fait inconscient, qui se faisait en elle : « si je n'ai pas de mari, je n'ai pas le droit d'avoir mes règles », parce que lorsqu'on a ses règles, on est « enceintable ». Et chevillée au corps de beaucoup de femmes, la peur de leur désir pouvant les faire tomber dans une tentation provoquait ce freinage de la vie génitale. Alors, comme souvent dans les cas où il y a régression par négation de la souffrance affective, il y avait aussi modification de l'humeur, et parmi ces femmes, qui étaient jusque-là cyclées, d'humeur régulière dans leur vie émotionnelle, avec les voisins, avec les enfants, beaucoup devenaient très nerveuses. On disait que c'était parce qu'elles n'étaient pas réglées. Non. Ne plus avoir leurs règles n'était qu'un des phénomènes. L'autre était la frustration pour ces femmes de ne pas avoir d'homme et d'être en même temps tentées d'avoir des relations, d'autant qu'il y avait des hommes (des

Allemands) qui arpentaient le trottoir, les mar-
chés, les magasins, avec de l'argent plein les
poches, alors qu'elles étaient en difficulté. Mar-
guerite Duras a très bien parlé, dans l'émission
de Bernard Pivot, de ces femmes qui collabo-
raient avec des Allemands à l'époque.

Nous, médecins d'enfants, nous avons vu
alors tous ces troubles de développement affec-
tif des enfants pris dans ces conflits qu'ils sen-
taient devoir taire.

Qu'est-ce qui était valeureux ? N'était-ce pas
mieux que maman aille bien, qu'il y ait un
homme à la maison, qui grondait, qui permettait aux enfants de devenir de bons citoyens
français ? Et c'était l'Allemand qui venait
déjeuner ou dîner à la maison, et qui d'ailleurs
avait un grand respect pour le prisonnier au
loin, dont il prenait momentanément la place
au lit tout en sachant probablement que pendant ce temps, là-bas en Allemagne, le prisonnier faisait de même avec sa bobonne ! Mais,
pour les enfants de sept, dix, ou onze ans, qui
entendaient tout cela et qui profitaient, grâce à
l'occupant au foyer, des avantages matériels
(nourriture, fournitures diverses), c'était tellement brouillant pour leurs idées et pour leur
éthique, que cela devenait incompréhensible

s'il n'y avait personne pour leur dire que c'était un problème d'adultes, d'hommes et femmes en activité génitale, en activité affective et émotionnelle. Ces enfants seraient devenus délinquants, et c'est d'ailleurs pour cela qu'on nous les amenait.

Au début, c'était des pipis au lit ; ensuite, c'était des délinquants ou des inadaptés scolaires. De fait, la nullité scolaire, c'est l'interdiction de se servir de ses pulsions sublimées orales et anales, comme nous disons dans notre jargon, c'est-à-dire prendre et donner : prendre des éléments, rendre des éléments. C'est digestif, c'est une sublimation du métabolisme digestif qui se fait de façon symbolique dans le mental et qui, en principe, se traduit chez l'enfant par « réussir à l'école ».

L'école primaire, c'est digestif. Hélas, car à partir de l'âge de sept, huit ans, cela pourrait déjà être génital, c'est-à-dire rencontre de deux esprits portant fruit. Ce qui n'est pas la même chose que d'avaler et rendre un devoir, vomi ou déféqué, et bien souligné en rouge, en vert, en tout ce qu'il faut pour que le professeur soit content, comme on fait un beau caca pour la maman quand on est petit.

Mais il n'en reste presque rien, rien que du

savoir, et pas de la connaissance. La connaissance, c'est d'ordre génital, et le savoir, c'est d'ordre oral, anal[6].

Et nous avions des enfants qui, par leur structure au départ, étaient faits pour atteindre à la connaissance. Or, ne pouvant rien comprendre à la « connaissance » de leur mère — le monsieur allemand ou le monsieur de l'autre étage qui occupait un peu la vacuité affective et génitale de la mère —, ils ne pouvaient pas atteindre au niveau de la connaissance pour le reste. Alors, ils restaient au niveau digestif et chutaient à partir de la sixième. En sixième-cinquième, c'est la chute totale si on ne peut pas arriver au niveau du plaisir de la connaissance, s'il faut rester au niveau d'avaler et rendre un devoir pour quelqu'un qui l'attend, et non pas pour le plaisir de connaître et de faire ce qu'on peut quant à ses leçons et ses devoirs. Car l'important, c'est la connaissance que l'on prend d'une discipline qui intéresse, et qu'un maître ou une maîtresse rend accessible.

Tout ceci peut-être vous paraît subtil, mais c'est cela, le travail des psychanalystes : quand des êtres humains sont en déperdition, et qu'on nous les envoie, c'est ainsi qu'on procède, jamais en voulant corriger un symptôme. Si on veut corriger un pipi au lit, ou une encoprésie, on rate tout, avec un effet à dix-huit, vingt ans, vingt et un ans, un langage contradicteur ou interdicteur des rythmes normaux de la vie génitale.

C'est pour cela qu'en même temps que ces troubles qui arrivaient massivement dans notre Europe, il est important qu'il y ait eu la psychanalyse, éclairant la dynamique de l'affectivité, la dynamique de la vie symbolique chez les enfants. C'est extraordinaire que simultanément au dérangement éthique de toute l'Europe, il y ait eu ce remède, permettant de comprendre ce que cela voulait dire.

Ceci nous amenait à comprendre l'effet de la communication interpsychique comme se produisant, qu'on le sache ou non, de plus en plus tôt, déjà dans la vie fœtale, mais surtout après la naissance, entre le bébé et son entourage, géniteurs et fratrie.

Cette compréhension, c'est de cela dont il est question, surtout aujourd'hui dans ce que je vais vous dire. C'est le rôle du dire et, bien plus encore, de l'agir. Pour un enfant tout est signifiant langage, tout ce qui se passe autour de lui et qu'il observe. Il réfléchit dessus. Un enfant réfléchit et écoute d'autant mieux qu'il ne regarde pas la personne qui parle. Et c'est très important.

Aussi, quand les instituteurs (institutrices) veulent que les enfants les regardent, ils perdent 50 % de l'attention des enfants. Pour nous, adultes, c'est le contraire : nous aimons regarder la personne qui parle. L'enfant, lui, s'il a les mains occupées à autre chose, s'il feuillette un livre, une revue, ou des bandes dessinées, ou s'il joue à quelque chose, c'est à ce moment-là qu'il écoute, qu'il écoute fantastiquement, tout ce qui se passe autour de lui. Il écoute « en vérité », et mémorise.

J'ai pu aider pas mal d'instituteurs qui disaient : « C'est fou, pourquoi est-ce qu'on ne nous apprend pas cela ? » Il ne faut pas que les enfants regardent le maître et surtout, il leur faut, pour bien écouter, bruiter tout le temps. Si les enfants ne bruitent pas, s'ils ne jouent pas à quelque chose, ils n'écoutent pas. S'ils jouent trop, ils vont gêner les voisins qui ne sont pas occupés à quelque chose, ou à bruiter.

S'il y en a ici qui s'occupent de sourds-muets, ils savent à quel point une classe de sourds fait du bruit. J'ai appris beaucoup de choses parce que nos fenêtres donnent sur l'école des sourds et muets de la région parisienne[7]. Je voyais la récréation. C'est quelque chose d'observer tout cela ! Ils sont fantastiquement dans le langage, d'autant plus qu'ils n'ont pas la parole, ils le sont tout autant, mais à leur façon. Et l'été, les fenêtres ouvertes, qu'est-ce que cela crie ! La maîtresse hurle, eux s'en fichent. Ils font un bruit glottique qu'ils n'entendent pas, et un bruit d'enfer avec leurs pieds. Plus ils font attention, plus ils font de bruit.

Nous, les entendants, nous n'aimons pas travailler dans le bruit au bout d'un certain temps. C'est entre huit et neuf ans que les enfants changent et encore !... Vous en voyez qui font leurs problèmes avec des écouteurs sur les oreilles. Les parents ne comprennent pas : « Voyons, n'écoute pas ce bastringue, tu ne peux pas faire tes devoirs. » Au contraire, ils font d'autant mieux leurs devoirs qu'ils ont le bastringue dans les oreilles. Cela dépend lesquels. Mais ceux qui le font savent pourquoi. Ils sont concentrés parce que, le monde étant occupé, ils sont en sécurité. Si au contraire le monde autour d'eux, du côté de la rue par exemple ou de la chambre voisine, les alerte — « que s'y passe-t-il ? », la petite sœur qui est en train de s'amuser, avec laquelle on aimerait bien aller parce qu'elle parle avec maman, etc. —, ils vont être distraits par ces choses personnalisées, alors qu'avec le bastringue qui est impersonnel ils seront tout à fait concentrés sur ce qu'ils font.

Tout dans l'être humain fonctionne constamment dans la fonction symbolique, et d'une façon telle, que c'est cela qui chez les humains fait les schizophrènes et les psychotiques.

Vous allez comprendre pourquoi.

Un enfant qui est trop tout seul, s'il est un de ces êtres précoces qui a besoin de communication très tôt, eh bien, sa fonction symbolique marche à vide ; on pourrait dire comme une métaphore de la fonction digestive. Il a besoin d'avoir des éléments pour ses perceptions, mais des éléments qui font sens pour un autre qui entend les mêmes éléments perceptifs. Par exemple un enfant qu'on laisse dans son berceau, sur le balcon, dans le jardin, etc. peut être très bien, pourquoi pas ? Mais il faut qu'il ait en compensation beaucoup de moments de complicité amusée, ou au contraire de bagarres avec sa mère à l'occasion de leur vie de communication. Sinon, que se passe-t-il ? « C'est un enfant très sage, il ne nous dérange pas. » Et puis, on le laisse ainsi jusqu'à un an dans son berceau, je l'ai vu faire. Il ne réclame même pas son biberon. Quand on le lui donne, il le prend. Ces enfants sont des sacs à tous grains, ils prennent tout, cela leur est bien égal. Ils vivent dans une vie tellement imaginaire qu'ils n'ont plus rien à voir avec les humains, leur langage échappe aux paroles humaines.

Mais, par exemple, s'il y a un oiseau qui passe, et qui fait un piaillement particulier en même temps que le voile de leur berceau se balance, et s'ils ont dans leur corps à ce moment-là une colique, un borborygme, la rencontre de ces trois perceptions signifie que l'oiseau et le rideau ensemble, c'est la parole de leur ventre. La douleur qu'ils ont au ventre, une petite colique qui passe, c'est le signifiant de la rencontre du cri de l'oiseau avec le voile remué par le vent ; des quantités de rencontres synchroniques externes et internes prennent ainsi valeur de signes langagiers qui pour eux seuls ont sens de parole[8].

Vous connaissez ces enfants qui ont des compulsions, qui font des choses qui n'ont pas de sens, comme cet enfant auquel je repense, et dont la mère fait des gilets à la machine à coudre du matin au soir ; elle a un pied qui fait ceci, la roue de la machine qui fait cela, et les gilets s'accumulent par terre devant sa machine. Le samedi, on va livrer à la manufacture qui fait travailler la mère, et le seul homme que l'enfant (c'est un garçon) voit avec la mère, c'est ce monsieur qui la paie. Grâce à quoi, quand on rentre, maman achète un petit joujou, et ce jour-là, on a un petit dessert amélioré.

Je vous en parle parce que c'est un cas exceptionnel et il en a fait comprendre beaucoup d'autres par la psychanalyse[9]. Cet enfant a pu guérir. Il a pu faire comprendre ce qu'il faisait, cette grande intelligence qu'il avait à faire les mêmes gestes toute la journée. Qu'est-ce que c'était ? J'ai reçu la mère ; nous avons parlé ensemble.

Cet enfant était d'une intelligence supérieure avant d'aller à l'école, à dix-huit mois déjà. Il a marché très tôt. La mère vivait seule avec ce petit, tout à fait adapté, qui faisait les choses comme elle et l'aidait dans la maison.

Elle faisait des gilets, elle était aux pièces. Plus elle en faisait, plus il y avait d'argent. Sur les conseils des voisins qui lui disaient : « Vous savez, il faudrait qu'il aille à l'école, il est trop tout seul avec vous, il est timide », elle l'a mis à l'école entre trois et quatre ans. Mais déjà avant d'aller à l'école, il allumait le gaz, mettait le couvert, mettait la casserole de soupe sur le feu, allait chercher le pain. Il faisait tout ce qu'aurait fait une personne qui aurait secondé la mère. Et puis, quand il avait fini ces tâches domestiques, il venait dans son petit fauteuil contempler sa mère travailler, et regardait les gilets s'accumuler en bas de la machine à coudre à pied. De temps en temps, elle le regardait, ils se faisaient des petits sourires. Et, comme un chat, il allait l'embrasser et retournait s'asseoir. Voilà la vie de ces deux êtres jusqu'au moment où elle l'a mis à l'école.

À l'école, il a été complètement phobique. Il se mettait dans les jupes de sa mère, il pleurait et ne voulait pas y aller. La maîtresse a été compréhensive, gentille, et c'est dans ses jupes à elle qu'il allait. Il avait transféré la jupe de la maîtresse comme jupe de maman, c'est tout. Aux récréations, il ne prenait pas contact, il avait peur des autres qui le bousculaient. Ils avaient raison d'ailleurs : ça ne vivait pas, ils allaient le secouer pour que cela vive. Nous faisons la même chose avec une montre qui est cassée : on la secoue (ce qui ne l'arrange pas du tout). Avec l'enfant, on fait pareil : il pleure, on le secoue. Les enfants font comme nous : quand un enfant ne bouge pas, ils vont cogner dessus pour voir s'il ne va pas réagir.

Malheureusement, il était de plus en plus timide, Daniel dans la fosse aux lions[10], mais lui ne savait pas leur parler, il était devenu de plus en plus subissant. Puisque maman voulait, il allait à l'école mais il s'éteignait complètement, il n'écoutait plus, il était devenu arriéré, disait-on.

Alors, il a fallu le garder à la maison pendant quelques mois. Puis on l'a mis dans un internat dit spécialisé pour inadaptés. Résultat : quand j'ai vu cet enfant, qui avait sept ans, il était tout à fait psychotique, et complètement fermé, l'air absorbé et triste ; il n'était même plus tendre avec sa mère, il était dans un autre monde : l'astronaute sorti au bout de son fil, qui aurait tourné comme cela jusqu'à mourir d'épuisement dans sa folie.

C'est en faisant raconter à la mère comment cela se passait, et à chaque fois de lui parler à lui, alors qu'il n'écoutait rien, soi-disant, qui a permis de comprendre que la machine à coudre c'était le père, qu'il jouait au père, en faisant comme ceci : le pied de la mère et comme cela : la roue. En plus, il imitait à sa façon le bruit de la machine à coudre. Grâce à quoi il était tout le temps avec sa mère, petit garçon allant-devenant le maître de la mère, la machine à coudre, et en même temps lui rapportant de l'argent. Ce mime compulsif, va-et-vient (haut et bas) de la main gauche, c'était le pied de la mère ; le tournis de la main droite, c'était la roue de la machine et le bruitement, le climat sonore de sa méditation d'amour, avant l'école. C'était son identification à l'objet machine à coudre qui était pour lui le soutien de sa fonction symbolique de virilisation.

C'était tout à fait dans le schéma du développement de la structure d'un garçon qui a à devenir chef de lui, puis chef d'un autre, soit, comme ici, chef de la mère, s'il n'y a pas de rival qui prenne la place de chef en disant : « Quand tu deviendras comme moi, tu pourras être un adulte mais, en attendant, tu apprends de moi comment tu dois te conduire pour devenir celui qui retient à lui sa femme. »

Lui, il avait appris de la machine à coudre comment il fallait se conduire, et il se conduisait de façon à être complètement aberrant, et donc psychotique à vie pour la société. Mais cela a pu se reconstruire complètement pas à pas. Cela a été une explosion de joie chez cet enfant quand il a retrouvé, grâce à la reviviscence en séance de sa petite enfance, sa maman de quand il était petit, et naturellement, à ce moment-là, il est redevenu pipi-caca! Il a perdu les acquisitions qu'il avait acquises très jeune. Comme disait la mère : « Il ne m'a pas donné beaucoup de travail, il était déjà tout à fait propre à dix-huit mois. Il n'y avait plus d'accident. »

Alors, il a retrouvé sa nature vraie, celle qu'il avait avant. Cela n'a pas été très long, il a fallu lui faire comprendre qu'il avait réparé celui qui était parti dans une voie d'identification erronée. Il y avait erreur sur la personne : la machine à coudre n'était pas l'interlocuteur valable, modèle à devenir, pour être en sécurité avec sa mère et pour échapper à cette société tellement dangereuse de petits nains. Car cet enfant certainement croyait être un adulte, petit par sa forme dans l'espace.

Voilà une chose très importante à savoir : l'enfant ne sait pas qu'il est un enfant, il est un reflet de la personne dont il est interlocuteur. Il s'imagine dans une activité qui le valorise tout le temps et qui soutient son allant-devenant grand.

En voici un exemple pour que vous compreniez mieux, un exemple comme vous en avez tous dans votre vie : un enfant qui n'a pas encore trois ans voit un film de famille, dans lequel il

43

joue au ballon avec son grand-père ; son petit frère, château branlant qui ne marche pas encore, est debout, contre les genoux de la mère, et la famille est autour. Le grand dit : « Oh ! regarde, moi qui arrose le jardin, et (le nom du petit frère) qui joue au ballon avec grand-père. »

À ce moment-là, les parents lui disent . « Mais non, tu te trompes, c'est toi qui joues au ballon avec grand-père cet été, et c'est l'oncle untel qui arrose le jardin avec le grand tuyau. » Vous voyez combien, pour un garçon de bientôt trois ans, c'est valeureux, un grand tuyau comme cela pour arroser le jardin !

Le père lui dit : « On va repasser le film pour que tu voies bien », mais, avant même qu'on ait pu rembobiner le film, ce grand est parti, a claqué la porte, puis s'est enfermé dans sa chambre. Pendant trois heures de suite, il est resté enfermé, il n'a pas dit un mot. Puis au dîner, tout s'est bien passé, on n'en a plus parlé. Mais chaque fois qu'on regardait le film familial, il s'éloignait, cela ne l'intéressait pas.

À six ans, un jour, alors qu'on regardait à nouveau ce film, il vient aux premières loges et dit : « Tu te rappelles, maman, quand j'étais petit, je ne voulais pas croire que j'étais moi[11]. »

C'est beau comme exemple, et c'est toujours comme cela : l'enfant ne se sait pas lui.

Ainsi, lorsqu'il se regarde dans la glace, il y voit un bébé, il est ravi : enfin un bébé dans ce monde d'adultes, comme si on était au jardin public. Il va vers la glace, et naturellement, il se casse le nez, il n'y a que du froid. Il est fasciné par cette expérience qui, surtout si la mère arrive, lui apprend que c'est bien lui qui donne à voir cette image semblable à celle des enfants du jardin public. D'ailleurs, s'il se nomme déjà — « Toto » ou son vrai prénom —, il n'appelle jamais ainsi celui qui est dans la glace, il dit : « bébé ». Il va vers « bébé », il ne va pas vers son image. Et si nous ne disons pas à l'enfant « c'est toi », mais « c'est l'image de toi, et à côté, c'est l'image de moi », nous lui enseignons alors que c'est l'image qu'il donne à voir. Et il se met à comprendre ce que veut dire l'image dans un miroir. Ce n'est pas du tout celle qu'il avait élaborée de lui-même en relation aux autres[12].

Les enfants sont tellement choqués, tellement surpris, que cela les oblige à se regarder. Et savez-vous ce qui se passe ? Pour lutter contre l'angoisse, l'inquiétude étrange, les enfants ne peuvent que faire des grimaces. Ils font des grimaces à la glace, et cela les amuse beaucoup de découvrir, à l'occasion de toutes ces grimaces — qui sont probablement à l'origine du théâtre — que, grâce à cela, on donne en langage (mimique) quelque chose d'évocateur qui pourrait se dire en mots.

Ce langage du visage et du comportement dans la glace qui fait effet à l'enfant, voyeur de lui-même, voyeur de son image, est un moment fantastiquement important. On le sait par l'histoire de Narcisse. Un peu écœuré par la nymphe Écho, qui répète toujours ce qu'il dit, alors que lui voudrait du nouveau, il se met à admirer sa propre image, et se noie dans l'amour de lui-même, dans l'amour de son image qui dans l'eau le fascine[13].

Heureusement, le miroir ne fait pas des Narcisses auto-mutilants ou totalement mutilants de leur propre vie, comme dans l'histoire de Narcisse. Mais ce serait le cas si personne ne répondait, si on ne faisait que faire écho à ce que dit l'enfant, au lieu de lui donner une rencontre psychique valable pour son psychisme, une rencontre de quelqu'un d'autre qui respecte son être, qui montre un désir différent, et qui le lui signifie.

C'est cela l'important dans le langage que

nous avons avec le bébé, si jeune soit-il, et aussi bien avec un grand enfant : c'est de lui parler vrai ce que nous ressentons, quel que soit ce vrai — le vrai, pas l'imaginaire.

Prenons le cas d'une sage-femme épuisée après vingt accouchements, elle en a marre, et supposons qu'un bébé pleure un peu plus qu'un autre, car il sent peut-être l'angoisse. Qu'elle dise : « Oh, celle-là, elle vous en fera voir ! », cela marque la mère, et aussi l'enfant, malheureusement. Il porte la marque des paroles entendues, mais nous n'avons pas toujours la mère pour le savoir. C'est comme si c'était prédicatif, et plus que cela, inducteur de son comportement. Car une sage-femme est une personne déterminante : elle vous a mis au monde ; elle vous a fait passer le premier grand danger de la vie qui est de risquer de mourir, le risque de mourir au moment de la naissance, moment qui se conclut par la découverte d'un tout autre mode de vie, aérien. C'est évidemment quelqu'un de très important. Donc, ce que cette personne a dit est aussi très important et, puisqu'elle a eu un comportement de véridique salvation, ses paroles font partie de la vie sauve. C'est ainsi qu'il faut comprendre pourquoi c'est dynamisant de façon positive mais négatif comme effet de sens. « Cette enfant, elle vous en fera voir ; elle sera insupportable, vous n'arriverez pas à l'élever », c'est cela que la mère a entendu. Eh bien, l'enfant devient cela pour être vivante, parce que cette parole a accompagné le fait d'être vivant, sorti d'un danger, et que la sachante (la sage-femme ou l'accoucheur, le premier tiers présent) dit, tel un oracle, la vérité.

Il faut faire le travail avec la mère : pourquoi la parole de cette femme lui a-t-elle semblé véridique ? Il faut remonter à ce qui est de l'ordre du transfert de la mère sur cette femme qui, malgré sa fatigue, a été gentille avec elle quand elle est arrivée. Il y a eu transfert positif ou ambivalent, mais plutôt positif, de la mère, qui a été, il faut le dire, « délivrée » par cette sage-femme, sorcière de malheur dans ses paroles, qui était épuisée, mais qui avait fait son travail, et avait besoin de se venger un peu d'avoir été vraiment exténuée ce jour-là. Elle s'est vengée tout simplement en disant : « Ah bien, vous allez voir, elle vous en fera voir, celle-là ! » Peut-être, si elle n'avait pas été fatiguée, elle aurait pris l'enfant, elle l'aurait donnée à la maman et tout se serait calmé. Qui sait ? C'est pourquoi il faut ainsi remonter aux faits et quand on a mis de l'humour avec la mère et l'enfant dans cette relation de départ, on a déjà fait beaucoup pour que l'enfant ne soit pas obligé de prendre comme «père» la voix de la sage-femme ; car le premier autre avec maman, c'est le père (le troisième de la scène pro-créative).

La sage-femme a pris la suite du géniteur ; c'est un géniteur symbolique pour l'enfant, symbolique de la vie de relation, de la première relation triangulaire. Le schéma freudien est un soutien fantastique pour notre travail avec les enfants, quand nous comprenons qu'ils transfè-rent l'autre de leur mère sur la première voix aérienne qu'ils entendent, et que cette voix a une valeur marquante, prophétique, dans le sens inducteur du comportement de l'enfant, en tant que pseudo-voix de père tout sachant.

Il en a toujours été ainsi dans les contes : les sorcières et les bonnes fées disent des choses sur l'enfant. Mais cela existe aussi de nos jours, et nous le voyons chez des êtres particulièrement sensibles, qui sont devenus des marginaux, qui font problème, et, à cause de cela, vont voir des psychanalystes ou des psychothérapeutes qui essaieront de les rendre supportables par la société.

Il faut remonter à ce qu'il y a de sacré pour eux à n'être pas supportables, et le sacré, c'est d'avoir un père et de faire sa volonté. Ce « père » a pu être la sage-femme de malheur du début. Son dire doit alors se manifester par le faire de l'enfant qui soutient ainsi sa réalité existentielle, sourcée dans cette première triangulation de langage à sa naissance.

Voilà comment nous pouvons comprendre que tout est langage, et que le langage, en paroles, est ce qu'il y a de plus germinant, de plus inséminant, dans le cœur et dans la symbolique de l'être humain qui naît. Il ne peut se développer dans un corps, homme ou femme, que s'il est en relation avec une voix d'homme ou de femme, avec une autre voix associée à celle de sa mère. L'autre ne veut pas toujours dire masculin, cela veut dire un impact important entre lui, sa mère et une troisième personne.

Prenons le cas d'une femme enceinte dans le deuil — son père, par exemple, est mort pendant sa grossesse. Eh bien, il y aura toujours chez l'enfant une marque de ce que l'être rival de lui est un être dans un monde qui n'est pas le nôtre, et cela peut aller pour lui jusque dans le fait de ne pas assumer la réalité de son corps, de ne pas vivre, tout en vivant à demi « absent », en identification au numéro un des pensées de maman aux derniers mois de sa grossesse.

Cela aussi, ce sont des choses que nous découvrons dans l'anamnèse avec les parents.

Ou, autre exemple, celui d'un enfant mort avant la naissance. La mère enceinte attend un enfant de remplacement de ce mort, dans un deuil qui n'était pas terminé, ce qui faisait qu'elle ne donnait pas à ce mort la liberté d'être mort. Elle espérait de façon vague, mais pour elle importante, qu'il renaîtrait, avec le même sexe, dans cet autre qu'elle attendait. Et cet enfant en sera marqué d'une façon extrêmement profonde.

Beaucoup d'enfants que nous appelons psychotiques sont marqués d'événements émotionnels semblables, qui se dénouent quand on a compris d'où c'est venu. Quelquefois, c'est eux-mêmes qui le disent, ou qui le miment en séance sans en être conscients.

Je me rappelle un garçon dont on n'a pu faire la psychanalyse qu'à quatorze ans. Il était dans un hôpital de jour depuis deux ans. C'était un garçon intelligent mais une caricature vivante : il se promenait avec un gros sac rempli de talons de chèques. Il faisait les poubelles, ramassait des papiers partout et, s'il le pouvait, des reçus, des talons de chèques. Il connaissait très bien les poubelles des magasins, des grossistes où l'on jette des archives. Il se promenait avec ce sac de grosse toile, allait à son hôpital de jour et dans le métro. Il ne pouvait pas vivre sans ce fardeau d'archives de dettes, de vieilles souches de paiements périmés.

On le tolérait. Il faisait quelques acquisitions scolaires, il n'était pas bête. Il était « zinzin », bref psychotique. On ne voulait pas d'un garçon pareil au lycée, d'autant qu'il avait toujours un sourire hilare, en même temps qu'il tenait des propos de faillite. Il arrivait hilare, et il disait : « Oui, aujourd'hui, la grande firme untel est en faillite. » Bref, le « zinzin », comme il y en a tant dans les hôpitaux de jour. C'est un extra-ordinaire monde d'humains qui, aux prises avec leurs fonctions symboliques diverses, ne se rencontrent pas, et forment une espèce de patch-work extraordinaire, fascinant pour les gens qui ne les connaissent pas, et qui surtout respectent l'humain, fascinant parce que chacun est un monde à lui-même. Mais c'est terrible parce que ce sont des gens qui ne vont pas être libres, et ne vont pas savoir défendre leur autonomie.

Nous nous sentons tous responsables vis-à-vis de ces originaux si nous n'arrivons pas à les aider à garder ce qu'ils veulent de leur « zin-zinnerie », mais aussi à savoir se défendre, afin qu'ils ne soient pas la risée de tous, qu'ils puissent finalement gagner leur vie, rester libres.

Heureusement, ce garçon s'est mis à avoir des troubles de caractère gênants. Jusque-là, il ne gênait personne, hormis sa famille. Mais voilà qu'il s'est mis à provoquer verbalement les femmes en leur parlant de leurs « nichons ». À chaque femme qui passait, il disait : « Comment ils sont, tes nichons à toi ? Ah, qu'est-ce que j'aimerais les voir, tes nichons ! » Il avait quatorze ans, sa voix muait ; dans la rue, on se disait : « Qu'est-ce que c'est que ce type-là ? » Cela devenait très gênant, avec son sac sur le dos et son air hilare. Et puis, de temps en temps, il commençait à vouloir toucher les femmes, il voulait palper leur décolleté. Alors on a pensé à une psychothérapie psychanalytique. On me l'a confié dans le cadre d'une cure ambulatoire, un peu séparée de l'hôpital de jour.

Je vois arriver cette caricature, et je lui dis : « Il doit y avoir une histoire là-dessous.

— Ha ! quelle histoire ! Mais la première personne qui s'en aperçoit, c'est vous ! Vous avez aussi des nichons, vous ?

— Oui, tout le monde en a, mais comme je suis la première personne qui s'aperçoit qu'il y a une histoire là-dessous, on pourrait peut-être parler de cette histoire plutôt que de mes nichons.

— Oui, mais alors, et la faillite ?

— Tout le monde fait plus ou moins faillite tout le temps. Parlons d'autre chose aujourd'hui.

— Vous savez, un dessin, ça en dit plus que tout.

— Eh bien, oui, pourquoi pas ? »

Et, dans le plus grand silence, il se met à dessiner. Ce dessin, que je vais vous raconter, personne ne se doutait de ce qu'il allait révéler.

Il montrait une femme enceinte, avec un énorme ventre et qui marchait dans une rue. Derrière, en l'air, une espèce de pieuvre avec des tentacules qui allaient sur le ventre de la femme enceinte. C'était un dessin genre images de bandes dessinées, un peu vulgaire comme esthétique, mais très bien dessiné. À la façon des enfants qui écrivent « arbre », « maison », à côté de ce qu'ils représentent, il avait écrit des noms et des dates : « une telle » (la femme enceinte), prénom que je sus plus tard être celui de sa mère, « vingt-cinq ans » ; « une telle » (la pieuvre),

« dix-huit ans », lui-même avait à ce moment-là quinze ans. Et puis, la maison « qui avait fait faillite », le nom du P.-D.G. Tout était habité « parlant ».

Alors, je lui dis : « Qu'est-ce que c'est que tout cela ? » et, comme toujours dans ma façon de travailler[14] : « Et vous, où seriez-vous, vous ?

— Eh bien, c'est visible, on ne voit que moi !

— Ah bon ! ? »

Et il me montre le ventre de « la » mère. Il me dit : « le sein ». Pas « nichons » : « le sein ». (De fait, aux « nichons » de « la » mère, il avait dessiné un soutien-gorge.) « C'est là que je suis », me dit-il, en me montrant le ventre de la femme.

« Mais celle-là qui a des tentacules, qui a l'air d'une pieuvre dans le dos de la femme et qui va s'attaquer à son ventre, qui est-ce ?

— C'est celle qui ne voulait pas que je naisse.

— Qui est-ce ?

— Eh bien, elle s'appelle une telle » (un autre prénom) ; « vous ne la connaissez pas ?

— Non.

— Elle a fait faillite, alors je suis né. » (Il y avait donc le prénom féminin et la date de naissance, cinq ou six ans avant la sienne.)

Je me dis : qu'est-ce que c'est que cette histoire ? Il est délirant ! Et je propose : « Vous permettez que je voie vos parents ? Je ne comprends rien à cette histoire qui semble être la vôtre… Mais, puisque nous essayons de travailler pour que vous soyez moins ridicule, et pour qu'on vous laisse continuer vos études ici — alors que si vous continuez votre système dans la rue, les agents vont vous arrêter car les femmes ne veulent pas qu'on les déshabille pour voir si leurs nichons sont bien à leur place ! —, si vous voulez, je vais voir vos parents.

— D'accord ! »

J'ai appris alors, ce que la mère n'avait jamais raconté à l'hôpital de jour, qu'en effet elle avait perdu son premier enfant, qui portait le prénom dévolu à la pieuvre du dessin, vers dix-huit mois, d'une maladie infantile, pendant qu'elle commençait une deuxième grossesse. Elle était enceinte d'un mois ou deux quand sa petite aînée est morte, et elle n'en a absolument pas fait le deuil, elle ne s'en est pas rendu compte du tout. Elle m'a dit : « J'étais tellement consolée d'attendre un autre enfant, et puis, pensez donc, c'était une petite fille, on aurait dit la réplique de la première. J'étais tout à fait consolée. Il n'y a que mon mari qui continuait. Je lui disais : "Mais, écoute, nous sommes tellement consolés par la naissance de la seconde." Mon mari, c'est curieux, il continue de regretter l'aînée. Moi, c'est différent. Comment mon fils sait-il son nom ? Je ne comprends pas. Je ne lui en ai jamais parlé.

— Sur sa tombe au cimetière ?

— Ah ! peut-être. »

Dans le dossier, elle avait dit qu'elle avait deux enfants : l'aînée, une telle, et lui. Elle n'avait pas du tout parlé d'enfant mort. Mais quand elle a attendu celui-ci : « Cela a été une surprise extraordinaire pour moi, dit-elle. Dès que je me suis sue enceinte, je n'étais que dans le deuil de l'aînée, je ne pensais qu'à cette aînée qu'auparavant j'avais comme oubliée. À ce moment-là, j'en ai parlé avec mon mari qui m'a dit : "Écoute, moi je suis en train de commencer à guérir, c'est peut-être pour cela — quelquefois cela arrive dans les ménages — c'est toi qui as maintenant du chagrin. Mais, tu sais, même moi j'en guéris. Une telle" (la seconde) "n'a pas du tout remplacé l'aînée ; pour moi, cette fillette existe encore, mais je ne souffre plus autant. Tu guériras aussi." »

Je crois que le père, lui, était un peu consolé par cette troisième grossesse, surtout quand il a vu que c'était un fils. Il était très heureux d'avoir un fils, comme beaucoup de pères qui ont déjà deux filles.

Le petit a donc été porté par sa mère dans le deuil de cette aînée inconnue et pas nommée en famille, qu'il montrait comme une pieuvre noire qui attaquait l'enfant ; mais elle avait fait faillite puisqu'il était né tout de même. C'était cela, son histoire, racontée par le dessin.

Voilà un enfant qui traînait cela depuis sa naissance. Malgré des études primaires satisfaisantes, il avait été renvoyé de l'école pour sa marginalité, ses bizarreries. Puis, avec la puberté, il était dans le problème de « sein » (sein intérieur, seins extérieurs), et il était là dans ce problème avec sa mère qui, en le portant, ne pensait qu'à son aînée morte. Il fallait être mort, et peut-être fille, pour être aimé. Alors, comment être vivant et mort en même temps ? D'où ces vieux bordereaux de dettes qu'il traînait avec lui, et en même temps les P.-D.G. qui faisaient faillite. Et la faillite, c'était le fait, comme il le racontait, que cette morte avait fait faillite, qu'il avait résisté aux forces de mort. En fait, il vivait son Œdipe. Il rivalisait avec l'autre de la mère, important pour elle quand elle le portait : la fillette dont alors seulement elle faisait le deuil.

Le « père » n'est pas toujours le géniteur ou le monsieur compagnon de la mère, c'est la personne qui occupe les pensées de la mère gestante et qui a rôle symbolique du troisième, c'est-à-dire de père dans la dyade de la mère et de son enfant.

Ici, ce troisième orienta le désir de l'enfant à se développer d'une façon complètement faussée par rapport à l'évolution habituelle de celui qui est appelé à devenir un individu responsable.

C'est là le travail que nous avons à faire, nous les psychanalystes : décoder un langage qui a perturbé l'ordonnance du développement langage-corps de l'enfant avant la parole.

Avec des bébés précocement perturbés, il faut s'y prendre très tôt. Il faut dire au bébé le drame dans lequel il a été porté. Et à partir du moment où l'on dit à un enfant, avec des mots, ce qui a perturbé la relation entre sa mère et lui, ou entre lui et lui-même, alors nous prévenons une aggravation de son état de mal vivant et parfois nous évitons l'entrée dans cet état.

C'est comme si on effaçait le maléfice, l'anti-vie qui s'y relie, et qui empêche les pulsions de vie d'être plus fortes que les pulsions de mort chez l'individu. Comme une pièce de monnaie est pile et face, nous sommes tout le temps habités par un désir de retourner au sujet sans corps d'avant-naître, qui n'est pas le mort, qui est l'invariance supposée de l'avant-vie.

Nous sommes dans le variant avec un corps, puisqu'il grandit jusqu'à mourir. Tous les jours, il y a une modification, et en même temps les fonctions sont répétitives. Donc, ce qui est toujours pareil, ce sont les besoins et c'est du mortifère pour l'esprit qui désire. Nous sommes tout le temps pris entre, d'un côté, des pulsions de non-vie, des pulsions de répétition — ce que nous appelons en psychanalyse des pulsions de mort — qui sont tout à la fois pulsions de mort de l'individu et pulsions de mort du sujet du désir, qui voudrait n'être pas né parce que ce serait plus facile ; et puis, de l'autre côté, les pulsions de vie, qui sont de conservation de l'individu, et pulsions de désir[15].

Le besoin est répétitif, le désir est toujours du nouveau, et c'est pour cela que, dans l'éducation, nous devons veiller à ne pas satisfaire tous les désirs. Mais toujours en paroles justifier le sujet de dire ses désirs et ne pas l'en dissuader ni critiquer. Les besoins, oui, les satisfaire ; les désirs, les parler beaucoup. Parole, représentation, dessin, mime, modelage, c'est ça qui fait la culture, la littérature, la sculpture, la musique, la peinture, le dessin, la danse, tout cela est représentation de désirs, et non vécu dans le corps à corps avec l'autre. C'est de la représentation pour communiquer avec un autre ses désirs. Et c'est là où l'éducation doit tout le temps veiller à soutenir le désir vers du nouveau toujours, et au contraire, ne pas satisfaire les désirs qui, aussitôt satisfaits, rentrent parmi les besoins qu'il va falloir répéter, et avec une sensation de plus en plus forte puisque le besoin, c'est une habitude, et que l'habitude, ça n'intéresse plus, c'est du mortifère.

Voilà ce que je voulais vous faire comprendre : que l'être humain est obligé d'avancer. S'il n'avance pas, il stagne et, s'il stagne longtemps, il recule. Il recule dans son histoire. Il régresse à des modalités libidinales passées. Lorsque ce passé a été traumatisant — ainsi une grossesse mal vécue —, il est dangereux d'y régresser. Pour ne pas y régresser, il n'y a qu'une façon, c'est de dire, d'exprimer de façon représentative cette régression menaçante, donc de parler. À partir du moment où cela a été parlé, on n'y régressera plus jamais. D'où l'efficacité du travail analytique, quand le matériel archaïque peut être remémoré dans la cure, vécu dans le transfert, et là analysé.

C'est cela d'ailleurs qui fait la thérapeutique de certaines psychothérapies focalisées sur le passé à revivre, ou de la psychanalyse, bien que ce ne soit pas tout à fait pareil.

En effet, les gens qui vont en psychothérapie parce qu'ils souffrent savent consciemment de quoi. Ils parlent autour de cette souffrance. Mais cette habitude qu'ils ont de souffrir, ils y tiennent à leur insu, ils ne veulent pas la quitter. Ils voudraient la quitter et en même temps ils ne le veulent pas, parce que c'est comme ça : vivre, c'est souffrir. Mais trop c'est trop. Ils viennent alors en thérapie parce que cette souffrance est en train de les inhiber et de les empêcher de se développer. Malheureusement, ils y tiennent, et tout le travail est de mettre en paroles tout ce à quoi ils tiennent, pour que cela soit périmé, qu'ils n'en aient plus besoin, et que le désir se renouvelle vers une tout autre direction jouissive que la souffrance. C'est cela, une psychothérapie.

La psychanalyse est plus complexe, puisqu'on ne vise pas une guérison, on ne vise pas à quelque chose de connu. Dans la psychanalyse, on remonte l'histoire de son corps-cœur ou esprit-langage.

Par exemple, l'enfant psychotique de la

machine à coudre, ce ne fut pas du tout une psychothérapie, mais une psychanalyse. Avec l'aide de la mère, l'histoire de cet enfant a pu être réactualisée à partir de quand il était parti sur une voie latérale. Comme il n'y avait pas de père, et que seule la machine à coudre remplissait le rôle de tiers et de producteur d'argent pour besoins et désirs, elle était substitut du père, l'autre de la mère. Ce ne pouvait pas être le monsieur qui trahissait sa mère tous les samedis en lui supprimant de l'argent sous prétexte qu'un gilet n'avait pas une bonne boutonnière, qu'un gilet ceci, un gilet cela. Elle était ainsi torturée par ce monsieur, car elle pensait avoir telle somme, et puis il lui faisait toujours des histoires : « C'est à prendre ou à laisser ; vous acceptez ça, ou je ne prends pas votre livraison », etc. Si bien que l'enfant sentait la tension entre sa mère et cet homme. Ce n'était donc pas à lui qu'il voulait s'identifier, il s'identifiait avec qui la mère aimait, avec qui faisait gagner la vie à la mère, qui les faisait vivre tous les deux : la machine à coudre, l'amie, chose malheureusement, mais qui pour un enfant paraissait vivante puisque cela bougeait tout le temps ; cela apportait la vie chez eux, ce bruitement accordé à sa maman.

Nous avons pu remonter cette histoire, et comprendre ce qu'il y avait de sain chez l'enfant, qui avait toujours été sain, mais qui s'était trompé de Moi Idéal[16], en prenant le Moi Idéal machine pour ce à quoi un garçon de valeur devait s'identifier, pour un jour avoir une femme de valeur comme était sa mère.

C'est cela une psychanalyse, alors qu'une psychothérapie aurait été de le distraire de cela en lui faisant faire autre chose, cela aurait été l'occuper. Mais quand c'est très profond, très précoce — pendant la grossesse ou les premières années de la vie — il faut une psychanalyse.

S'il s'agit au contraire d'un être humain parfaitement sain — tout à fait sociable, triste quand il y a de quoi, gai quand il joue, qui a des camarades, etc. —, qu'un événement dramatique a traumatisé, si l'on sait à partir de quelle époque, et que tout ce qui est avant est resté construit, il n'y a pas besoin de psychanalyse. C'est alors une psychothérapie puisque, jusqu'à la mort du père par exemple ou de la mère, qui s'est produite quand l'enfant avait neuf ou dix ans, il allait fort bien.

Il y a donc autour de cet événement quelque chose à « psychothérapiser », mais tout le reste qui est avant étant sain, l'individu est construit sur du sain et il n'y a pas besoin de remonter jusqu'à sa petite enfance.

On pourrait le faire. Tout le monde pourrait faire une psychanalyse, mais c'est un tel sacrifice de temps, d'argent et de mise entre parenthèses de beaucoup d'énergie ! Une analyse demande beaucoup d'énergie, sans même qu'on s'en doute. Et puis, nous ne sommes pas assez nombreux pour psychanalyser tout le monde ! Mais on peut dire que pour la plupart des enfants qui ont des difficultés avant six ans, c'est une psychanalyse qu'il faut et non une psychothérapie, c'est-à-dire une remontée dans l'histoire et, si on peut, jusqu'au désir d'entrer dans la chair, en venant se mêler de l'étreinte de ses parents pour prendre corps. Il y a des gens qui remontent jusqu'à ce moment-là. Ils ont été souvent des enfants facilement dépressifs.

Ils remontent au moment de la naissance, ou à un incident qui s'est passé à trois mois de la vie fœtale, ou même au moment de la conception. Par exemple, ils ont été ignorés comme étant conçus pendant les deux ou trois premiers mois de la vie fœtale ; ils ont comme un désir de retourner à cette ignorance d'être, pour eux-mêmes, à ignorer être ; ils ont des moments d'absence. Parfois, au cours de leur psychanalyse, ils retrouvent des témoins de leur enfance qui disent : « Mais oui, ta mère croyait qu'elle avait un fibrome, elle est allée chez le médecin, mais elle était enceinte ! Tu penses, alors qu'elle avait déjà de grands enfants ; mais c'était trop tard pour avorter. » Voilà.

Alors, l'enfant, qui avait bien vécu, tranquillement, personne ne se doutait qu'il était là.

Et quand, plus tard, ces gens-là ont des difficultés, ils ont tendance à retourner à la privative de toute relation, même avec eux-mêmes, pour que personne ne s'occupe d'eux… Ils paraissent complètement abouliques à ces moments-là, puisqu'il leur faut s'éclipser, disparaître pour leurs amis, lesquels respectent ces replis qui ne sont pas des refus.

Ces gens-là ont quelque chose qui date de l'époque la plus précoce de leur vie, et cela relève d'une analyse, cela ne relève pas d'une psychothérapie.

Un être humain est marqué par les communications vraies qu'il a eues avec le conscient et l'inconscient des gens qui l'entouraient, au premier chef la mère, le père, et les premières personnes qui jouaient le rôle d'autre de la mère.

Je vais m'arrêter là. Si cela vous a paru difficile de me suivre, nous allons mettre cela au clair, par des exemples, en répondant à des questions personnelles que vous pourriez poser, ou des cas qui vous font problème, chacun dans votre travail. Nous pourrons peut-être les éclairer et comprendre comment le langage porte son fruit dans un être au niveau de développement qui est le sien, et dès qu'il peut entendre. Fruit, c'est-à-dire dynamique soutien et stimulation des pulsions de vie, ou dynamique dépressivante selon ce que cet être entend, comprend.

QUESTION : *Si la danse et la musique sont des expressions de désir, et qu'il ne faut pas satisfaire le désir, alors, il n'est pas bon de faire faire de la danse à des petits enfants.*

F. D. : C'est juste le contraire de ce que j'ai dit. J'ai dit qu'on ne peut jamais satisfaire un désir sans qu'il se renforce. Le désir n'a pas de satiété s'il est véridique. S'il n'est pas authentique, il cesse. Ainsi, pour la danse, c'est l'enfant qui, lui, se satisfait si la danse l'intéresse. Mais si la mère satisfait son propre désir de danser à travers son enfant, alors, oui, en effet, l'enfant est abusivement exploité par la mère. Par contre, si, ayant donné à cet enfant l'opportunité de connaître ce moyen de s'exprimer qu'est la danse et qu'il persévère dans son amour de la danse, alors ce n'est pas vous qui le satisfaites, c'est bien lui qui cherche à satisfaire ce désir auprès de personnes dont c'est le métier de guider quelqu'un à s'exprimer par la danse.

La danse est un langage, et ce langage, ce n'est pas seulement une satisfaction de corps ou de corps à corps. C'est un art qui transcende le corps.

Je vous parlais de satisfactions du corps pour soi, et cette satisfaction du corps pour soi, si elle est apportée directement sans passer par un long chemin de travail, entre rapidement en effet dans le répétitif du besoin.

QUESTION : *Précisez par un exemple ce que veut dire satisfaire chez l'enfant ses besoins, mais pas tous ses désirs.*

F. D. : Par exemple, un enfant ne veut pas manger. Il ne faut surtout pas qu'il mange ; parce que, si c'était un besoin, il mangerait. S'il ne veut pas manger, c'est qu'il n'en a pas besoin, et que ce serait votre désir à vous. Vous lui dites : « Si tu n'as pas faim, c'est très bien, quand tu auras faim, tu mangeras. » Les mamans ne savent pas quand les enfants ont faim. Et puis : « Si tu as faim, c'est ta main qui te donnera à manger à toi, ce n'est pas ma main, celle de maman, comme si tu ne le pouvais pas tout seul. »

C'est progressif d'arriver à aider un enfant à acquérir son autonomie par rapport à lui-même, ce que j'appelle s'automaterner. L'automaternage commence très tôt pour un enfant, dès avant la marche. Cela commence par mettre à sa bouche ce dont il a besoin, soit parce qu'il a faim, soit pour faire de cet objet la connaissance, ce qui tient à la fois du besoin et du désir.

Notre rôle, ce n'est pas de rythmer les besoins d'un enfant, comme nous le croyons, mais d'être au service de ses rythmes, de lui donner à manger quand il a faim. Il prend ce qu'il veut de ce que nous lui proposons, et s'il ne veut pas, il faut lui dire : « C'est très bien. »

Manger si on n'a pas faim, c'est aberrant : on ne sait pas ce qu'on fait. À la limite, on pourrait dire que c'est «pervers» de manger sans faim. Un enfant qui est inculqué à manger quand il n'a pas faim, c'est comme si on lui inculquait une perversion, pour plaire à l'adulte.

C'est la même chose en ce qui concerne la continence, ce qu'on appelle «être propre». Supposons par exemple une petite fille déjà continente, naturellement, à l'âge de quinze mois, ce qui est précoce mais pas exceptionnel chez une fille, étant donné qu'il n'y a aucune relation entre le plaisir de satisfaire ce besoin et le plaisir des pulsions sexuelles ; alors qu'il y en a une dans le sexe masculin : c'est pourquoi les garçons sont continents plus tard que les filles.

Un garçon a sept érections par nuit en moyenne et, au cours de ces érections, il se trouve qu'il doit uriner, et ceci à peu près jusqu'à trente mois minimum, puisque c'est à trente mois que la verge en érection n'est plus en communication avec la vessie, mais en communication avec les vésicules séminales. Il y a un organe physiologique qui se développe entre vingt et un et trente et un mois chez les garçons, et qui fait qu'il ne peut plus uriner en érection comme il le faisait depuis sa naissance.

Il sortira un jour du sperme mais, en attendant, il ne sort plus rien, alors que jusque-là, chaque fois qu'il était en érection, il avait la possibilité du plaisir d'uriner librement.

Le génie masculin du jet avec la verge en érection est quelque chose d'absolument fondamental ; si bien que, plus un enfant garçon est valorisé de faire pipi quand sa maman le veut — et non pas quand lui le veut —, plus il fera longtemps pipi au lit la nuit parce que, dans la nuit, il n'est pas responsable de ses érections. Comme il ne faut pas mouiller son lit, et que maman dit aussi que ce n'est pas beau ni bien de toucher son sexe donc d'être en érection, il est obligé d'uriner parce qu'il s'arrête à demi-érection pour ne pas avoir le plaisir d'une érection plénière, complète. Le surmoi veille dans son sommeil. S'il a une érection complète et rapide, l'enfant ne peut pas uriner ; mais en demi-érection, il peut uriner encore un certain temps, même s'il gêne un peu physiologiquement cet organe, qui s'appelle le veru montanum. Comme le larynx se développe plus tard (c'est la voix qui mue), le veru montanum se développe autour de vingt-huit à trente mois. Désormais, la verge en érection ne peut plus uriner, c'est seulement la verge flasque qui le peut.

Ceci est donc différent pour le garçon et la fille. Tous deux en général sont continents la nuit, trois mois après la continence de jour. Si on ne s'en occupe pas, c'est comme cela. La continence trop précoce est un symptôme de retard d'autonomie. La continence trop tardive est un symptôme de désir trop confondu avec des besoins ou symptôme de retard sexuel de l'enfant.

Et comme je disais, les filles sont propres beaucoup plus tôt, parce qu'il n'y a chez elles aucun rapport entre le plaisir du besoin et le plaisir de l'attente du désir, désir de la pénétration par le prince charmant (dont les bagues sont le symbole). Vous connaissez la chanson : « Il y avait dix filles à marier, le fils du roi vint à passer », et puis il flirte avec toutes mais il n'y en a qu'une qui est l'élue. Vous connaissez bien cette chanson, que les filles aiment tellement. Cela, c'est tout à fait typique des filles qui désirent, et qui attendent d'être pénétrées du regard, d'être pénétrées d'un mot d'amour par celui qu'elles élisent. Il n'y a aucun rapport entre le sexe et les émonctoires chez les filles. S'il y a chez elles un rapport un peu pathogène et pervers, c'est quand on leur laisse croire que ce sont les mamans qui « font » les bébés. Elles ont alors un schéma (elles ne peuvent pas en avoir d'autre) qui fait des bébés une sorte de crotte magique — d'ailleurs, beaucoup de mères appellent leurs enfants « ma crotte ».

C'est un moment très important à ne pas manquer pour dire aux enfants : « Je t'ai mis au monde, mais tu es l'enfant de ton père. » Une femme n'aurait jamais d'enfant si un homme ne lui en donnait pas la possibilité. L'enfant se développe dans le corps d'une femme, mais après avoir été conçu par les deux, son père et sa mère.

Ce n'est pas la maman magique, ce n'est pas le caca magique. C'est très important à dire parce que cette imagination du transit digestif, mise au service de la magie parturiente — le bébé comme cas particulier de crotte —, c'est ce qui a gêné tellement de femmes avant l'actuelle préparation à l'accouchement : beaucoup de femmes avaient une fausse représentation du « travail ». Elles accouchaient « par les reins », comme elles disaient, parce que l'expression « poussez, madame » allait à l'envers de l'image de ses voies génitales dont la femme ignorait les formes et le fonctionnement. Depuis les préparations à l'accouchement, ce n'est plus la même chose, mais c'est dès l'enfance que les filles devraient être informées de leur anatomie fonctionnelle, celle du plaisir et celle de la procréation.

Les voies génitales de la femme sont comme une corne d'abondance, c'est-à-dire qu'au moment de l'accouchement la femme ressent son corps comme une corne d'abondance qui s'ouvre par-devant. S'il n'y avait pas la pesanteur, l'enfant naîtrait sa tête face à celle de sa mère. Mais en naissant, on entre dans la pesanteur : il tomberait. En réalité, le mouvement est aussi un mouvement circulaire : le bébé qui naît tourne sur son axe en sortant de sa mère.

En tout cas, cette espèce de représentation digestive de la gestation est une perturbation imaginaire due, chez les filles, à la «perversion» dans l'enfance qui, dans le langage, les laisse croire à cette parturition parthénogénétique des femmes, à leur futur destin de femmes qui pourraient créer des sociétés sans hommes.

Pour les garçons, l'appareil génital étant tout à fait lié à l'appareil urinaire, tout ce qui est dérythmage et culpabilisation du fonctionnement urinaire joue sur la liberté future de la génitalité. Ce n'est pas cela du tout, l'éducation sexuelle d'un garçon ; elle a pour fin de le former au respect de son propre sexe, au respect de l'autre dans la relation d'amour et dans la relation de recherche du corps à corps, pour un plaisir ensemble dans la satisfaction du désir, et donc pas du tout de culpabiliser l'érection ! Or, c'est cela que l'on fait chez l'enfant garçon quand on lui dit, dès qu'il touche sa verge ou dès qu'il se trémousse : « va faire pipi », alors que justement, très souvent, il se trémousse ou touche sa verge parce qu'il a une érection, et que c'est naturel et « normal » de toucher cette verge pour en faire tomber l'érection. C'est son devoir sacré de petit mâle, qui découvre qu'il a ce rôle, avec alors la conscience que les érections ne sont pas volontaires, mais qu'il peut avoir un rôle de maîtrise dans la chute de ses érections. Parce que quand on est occupé à autre chose, cela gêne d'avoir une érection, cela déconcentre l'attention.

Vous voyez comment tout cela est très important pour l'avenir de l'enfant.

J'ai rencontré un vieux médecin. Je me répète un peu, et les personnes qui m'ont déjà entendue connaissent peut-être cette histoire, mais ce sont des histoires qui marquent quand on est jeune médecin pédiatre devenant psychanalyste, ce que j'étais à l'époque.

J'allais à des journées de chasse ou de pêche. Les médecins aiment beaucoup, en fin de semaine, cette distraction qui les sort de leur cabinet de consultation. Et il y avait là ce vieux médecin, âgé de quatre-vingt-douze ans à l'époque. Il avait été un chasseur émérite autrefois et aimait bien venir dans la société de chasse où nous allions. Sachant que je m'occupais d'enfants, il me dit un jour : « De mon temps, on ne voyait pas des pipis au lit comme j'ai commencé à en voir après la guerre de 1914. C'était rare. » J'étais relativement jeune à ce moment-là, et je lui répondis : « C'est intéressant, ce que vous dites là. Je croyais que cela avait toujours existé, et que c'est parce que les mères élèvent leurs enfants en les culpabilisant de ne pas être continents bien avant qu'ils n'en soient capables neurologiquement.

— Ah ! ma jeune consœur, ce que vous dites m'intéresse beaucoup ; je peux vous dire que Freud et tout cela, je n'ai jamais eu le temps de m'en occuper, mais qu'est-ce que j'ai pu aider les jeunes ménages ! » Il parlait des troubles de la vie génitale, qu'il rapprochait des troubles énurétiques chez l'enfant ; il n'en avait jamais vus autant avant la guerre de 1914. « Il y avait certaines familles, rares, disait-il, où les garçons faisaient pipi au lit tard. Je les connaissais. Je leur disais : "Ne vous inquiétez pas ; tu étais comme ça ; ton père m'a raconté qu'il était comme ça aussi. Dis à ta femme qu'elle patiente. Ton fils est comme ça, mais vous êtes tous devenus des gens très bien ; ce n'est pas une maladie." C'est comme les enfants qui sont en retard pour parler, ou en retard de motricité, ils peuvent être tout à fait adroits et devenir des acrobates, alors qu'ils ont commencé plus tard que d'autres. » Il continuait ainsi de penser tout haut.

De fait, il n'y a pas d'âge pour le développement. Ce qu'il faut, c'est ne pas demander à un enfant d'avoir un comportement avant d'avoir eu ce qui correspond au début de son intérêt pour la motricité, pour la propreté, etc.

Il ajoutait cette chose très intéressante : « Moi, j'ai vu apparaître cela après la guerre de 1914. Après la guerre de 1914, dans les campagnes, les femmes, disait-il, se sont mises à être culpabilisées de mettre des langes mal séchés aux enfants, parce qu'on leur avait enseigné que les coliques — ce qu'on appelait alors la diarrhée verte, qu'on appelle maintenant la toxicose et qui était autrefois un agent de mortalité infantile énorme — pouvaient venir de là. On a fait comprendre aux mères qu'il fallait mettre aux enfants du linge très sec pour qu'ils n'attrapent pas froid au ventre, du linge qui ait bouilli puis été repassé au fer chaud pour l'antisepsie. »

Alors les femmes se sont culpabilisées : c'était peut-être leur faute si leur enfant mourait de diarrhée. Elles se le disaient les unes les autres et, dans les petits logements, il y avait ces couches qui devaient sécher. Mais l'hiver, comment sécher les couches quand on n'a qu'un poêle, et qu'on vit là dans un logement exigu ?

C'est complètement différent aujourd'hui : avec la cellulose qu'on jette, il n'y a même plus à faire la lessive. À l'époque, quand les femmes faisaient la lessive, ce n'était jamais assez bien rincé, tout le monde n'avait pas d'eau. Il fallait aller à la fontaine, et l'hiver c'était gelé. C'était des complications terribles que cette hygiène du change des bébés. C'est pourquoi les mamans veillaient, avant qu'ils n'aient pu faire pipi ou caca, pour qu'ils ne salissent pas de linge, et que cela ne fasse pas toutes ces complications, avec toujours la menace : si je lui mets quelque chose de pas sec, ou de mal lavé, il va faire de l'érythème fessier, il va s'infecter, ou, si ce n'est pas sec, il va faire de la diarrhée verte par froid au ventre.

« En plus, ajoutait-il, les mères ont voulu se mettre à la mode de la reine d'Angleterre — il appelait ça comme ça — langer les enfants à l'anglaise. C'est-à-dire qu'au lieu de les mettre dans une grosse couverture de laine — ce qui faisait que s'ils étaient mouillés, ils n'avaient pas froid — on s'est mis à dire qu'il fallait voir leurs petites jambes parce qu'elles étaient plus à l'aise à librement gigoter. Ce qui est vrai, mais cela s'accompagnait en même temps du danger des culottes en caoutchouc, jamais bien étanches à l'air. Les enfants transpiraient là-dedans, les couches mouillées se refroidissaient, l'enfant avait des coliques, etc. » Donc, pour ce vieux confrère, c'est ce côté pratique du changement de lange qui expliquait l'énorme attention des mères et leurs efforts pour prévenir tous les risques dus au froid, à l'humidité : les dermatoses fessières, les diarrhées des nourrissons.

Et il poursuivait : « Autrefois, les enfants n'étaient pas du tout élevés à être propres tant qu'ils ne marchaient pas. Ils étaient dans des langes, des grosses couvertures, et parfois même accrochés au mur quand les parents s'en allaient, pour ne pas risquer que le chat, le chien, ou les rats sautent dessus quand les parents étaient aux champs ; et puis, la tiédeur de la pièce venant de la cheminée se sentait plus en hauteur que par terre. »

Accroché au mur dans son lange, l'enfant mailloton ne risquait rien, semblable à ce que l'on voit à l'hôpital des Innocents, à Florence [17], tous ces bambini d'Andrea della Robbia. Les enfants étaient langés comme cela, avec des bandelettes autour de couvertures de laine et, dès qu'ils marchaient, on leur mettait une robe en droguet — c'est un vieux mot qui veut dire une grosse étoffe, laine et coton, très épaisse. Il y avait un petit corselet et puis une robe très longue qui avait un gros pli, et qu'on rallongeait au fur et à mesure. Le thorax ne bougeant pas de taille quand l'enfant grandit, ces robes tant pour filles que garçons duraient jusqu'à quatre ans. On leur laissait cette robe qu'on changeait de temps en temps. En dessous, ils étaient tout nus, et ils faisaient ce qu'ils avaient à faire ! Le sol était en terre battue, et il y avait toujours une grand-mère qui ramassait le pipi ou le caca laissé par l'innocent enfant. On ne faisait pas d'histoires, et les enfants devenaient continents naturellement. Personne ne s'en occupait jamais. C'était dans l'ordre, c'est tout[18].

On mettait alors aux garçons des culottes, et aux filles des robes. Il n'y avait jamais d'histoire pour le pipi-caca. Cela n'existait pas à la campagne. C'est venu à partir du moment où on a langé les enfants à l'anglaise, comme disait ce médecin, quand cela a été lancé dans les journaux pour les femmes : « Comme ils sont mignons avec les petites barboteuses et leurs petites cuisses nues, les petits angelots fessus ! » Je ne sais pas pourquoi c'est devenu la mode à partir de 1900 dans les familles aisées, et puis, peu à peu après la guerre de 1914, même dans les familles rurales.

Ce qui a changé aussi c'est l'idée du confort. Surtout le sol : on s'est mis à faire des parquets ou des linos. Des linos encore, on pouvait ramasser, cela ne mouillait pas ; mais quand c'était des parquets, cela salissait, il fallait recommencer à cirer ; un accident sur le parquet ciré donnait un gros travail à la maman.

On voit très bien ainsi comment une chose, venue de la vie pratique, de l'esthétique des logements, et en même temps de la connaissance de notions d'hygiène, suivie des découvertes pastoriennes, du rôle de l'antisepsie dans la lutte contre la morbidité et la mortalité infantile, comment tout cela a pu jouer pour rendre les mères angoissées que les enfants se mouillent, se salissent, avec toutes les complications cutanées ou générales que cela pouvait apporter.

Heureusement, le danger est moindre aujourd'hui, puisqu'il y a les couches que l'on peut jeter. Mais on continue d'être formé à l'idée qu'il est bien que les enfants soient propres tôt, chose qui, pendant des siècles d'humanité, n'a intéressé personne. On entend pourtant ce langage de « faire plaisir » à maman ou aux maternantes quand on fait son caca : « Ah, il est propre, ah, il a bien mangé !… » On a mangé, tout court, ni bien, ni mal. On mange proprement, quand on est capable, grâce à l'avènement de la coordination motrice, de manger sans mettre tout autour de l'assiette, mais ce n'est ni bien, ni pas bien de manger. On mange à sa faim. Il peut arriver qu'on mange beaucoup, ou peu, mais « bien », qu'est-ce que cela veut dire ? Vous entendez toujours les mères demander : « Est-ce qu'il a "bien" mangé ? » Ou : « Il n'a pas mangé "son" yaourt ? » (Parce que bien sûr, c'est le sien…) « Il n'a pas mangé "son" bifteck ? » Il a mangé ce qu'il avait à manger, voilà tout.

Il y a aussi la rétorsion : «Si tu ne manges pas cela, je ne te ferai pas ci. » C'est incroyable, tout ce marchandage par lequel les mères donnent une valeur grand V à ce qu'on absorbe ou produit avec son corps, alors que ce qui est important c'est qu'avec le désir on crée pour les autres en communication — mais sans servilité — et surtout pour les besoins, à son rythme à soi.

Je vous parlais de la danse. C'est très créateur, le beau pour les autres ; et travailler pour y arriver, c'est justement cela qui est le propre de l'être humain, c'est la création pour la socialisation, pour le plaisir autant de soi que des autres. Ce plaisir qui est une recherche de langage dans la danse, c'est le langage kinétique, expressif et esthétique.

Cela peut être au début une proposition de la maman, pourquoi pas ? Et puis, cela plaît ou pas à l'enfant. Les arabesques qu'il fait avec son corps dans l'espace, le plaisir de suivre un rythme, et en même temps le jeu avec la pesanteur, c'est cela la danse. Il ne reste rien qu'un souvenir dans le regard, et l'émotion que le spectateur a pu avoir d'être en communion avec celui qui s'exprime. Pour certains humains, la joie de danser est un grand bonheur, mais qui exige d'immenses efforts. Si l'enfant n'en a pas de lui-même le désir, il est dangereux et pervers de le lui imposer.

C'est en effet coupable pour un enfant de satisfaire le désir de sa mère en dansant pour elle. Qu'il danse plutôt pour son plaisir et pour ceux de sa classe d'âge, avec les personnes dont c'est le métier de l'enseigner à ceux qui sont faits pour cela dans la société. Mais le désir de la mère, l'enfant ne devrait jamais être invité à le satisfaire.

Hélas ! à l'époque fusionnelle avec elle, c'est son plus grand plaisir. Mais cela ne doit pas durer. C'est aussi pour cela que des enfants refusent de manger, parce que la mère désire trop qu'ils mangent. Et ils ont raison. S'ils continuent de satisfaire le désir de leur mère, ils deviennent pervers, car c'est l'adulte élu de la mère qui doit satisfaire son désir, ce n'est pas l'enfant.

Nous autres mères, il faut le reconnaître, nous sommes toutes un peu comme cela : quand nous avons fait un bon petit plat, nous nous sentons vexées et humiliées si notre enfant, ou même l'être aimé ne le mange pas, et s'il ne fait pas tous les compliments qu'on en attend. Il se trouve qu'il n'a pas faim ce jour-là, et il ne va tout de même pas se gêner l'estomac pour nous faire plaisir ! Un adulte peut le dire, ou en mettre la moitié à la poubelle quand on a le dos tourné, pour ne pas faire de peine à la cuisinière. Mais imaginez l'enfant à qui on donne sa tartine de beurre et de confiture, et qui va la jeter dans la cage d'escalier — j'en ai vu un comme ça : la concierge se plaignait de trouver les tartines en dessous de l'ascenseur. La mère lui faisait une scène épouvantable s'il n'avait pas pris ses deux tartines de beurre et de confiture au goûter. Il n'avait pas faim, ou il avait peut-être faim, mais il ne voulait pas satisfaire la mère. C'était son affaire, ce n'était pas à soigner par la psychanalyse, ni la psychothérapie. Pourtant c'était un des « symptômes » de cet enfant dit caractériel !

Pourquoi continuer à lui faire des tartines, au lieu de lui dire : « tu es bien assez grand, un garçon de huit ans peut très bien faire ses tartines tout seul » ? Je ne vois pas pourquoi la mère est obligée de les lui préparer et de les lui donner.

Venue de moi, cette phrase a suscité un : « C'est aussi ce que mon mari me dit ! ... Mais alors à quoi sert une mère si elle ne veille pas à la santé de ses enfants ? » Pour cette mère, c'était « bien » pour son fils de manger sans avoir faim pour qu'elle « serve à quelque chose ».

Je veux encore illustrer le thème : satisfaire le besoin mais non toujours le désir. Par exemple, un enfant n'a pas besoin de bonbons. Il demande un bonbon pour le plaisir qu'on s'occupe de lui, pour qu'on lui parle, qu'on lui montre qu'on l'aime. C'est très intéressant de constater que si on dit à l'enfant : « Ah bien, oui, comment il serait le bonbon ? Il serait rouge ? » — on se met à parler pendant une demi-heure, on parle du goût du bonbon, selon sa couleur rouge ou verte, on peut même dessiner des bonbons — et l'enfant oublie que c'est un bonbon qu'il voulait manger. Mais quelle bonne conversation autour des bonbons ! Quel bon moment on a passé !

C'est ainsi : il vient vous demander quelque chose, il veut avoir quelque chose, il veut en parler ; et regardez comme c'est intéressant en promenade d'aller devant une vitrine avec un enfant. Quel bain culturel c'est alors de lui parler et de jouer à se donner en imagination des cadeaux, et aussi quelle preuve d'amour !

L'enfant dit : « Ah, je voudrais bien avoir ce camion. » La maman répond : « Ah non, ce n'est pas possible, je n'ai pas d'argent. » Vite, vite, ne regardons pas : elle ne veut pas qu'il soit tenté ; alors que c'est cela vivre, c'est mettre des mots sur ce qui nous tente, et en parler.

« Ce camion-là, tu trouves qu'il est bien ?

— Ah, oui.

— Qu'est-ce qu'il a de bien ?

— Il a des roues rouges.

— Oui, c'est bien, mais les roues rouges, cela peut aussi ne pas rouler. Ce n'est pas une image, un camion, il faut que cela roule. On va entrer dans le magasin, tu vas le toucher ; aujourd'hui, on va le regarder, je n'ai pas d'argent pour le payer.

— Si, si, si !

— Je ne peux pas, c'est comme ça ; si tu préfères, on ne va pas entrer pour le voir de près et le toucher.

— Si, si... »

Quand l'enfant voit que sa mère est décidée : « C'est non, mais on va en parler », etc., il s'apaise. Ce dont il a besoin, c'est de communier dans le désir du camion, dans l'espérance, et c'est grave si la mère dévalorise son désir. Il faut toujours justifier le désir d'un enfant, toujours. « Ce n'est pas possible à réaliser, mais tu as tout à fait raison de le désirer. »

Depuis que le monde est monde, il y a des idiots qui veulent la lune mais s'il n'y avait pas eu des idiots qui voulaient aller sur la lune, on n'y serait jamais allé[19]. Certains de ceux-là ont payé fort cher, parfois d'une descendance schizophrène, d'être des savants, ou d'avoir un désir au service de la société, ainsi Pierre de Coubertin[20].

Cet homme avait compris que la société des gens urbanisés devait absolument créer des stades pour permettre à ceux qui avaient des métiers de ville d'avoir l'exutoire du sport le dimanche. Il a voulu créer des stades et proposer le sportif comme Moi Idéal. C'est amusant de regarder les photos de cette époque. On parlait de ces athlètes qui ont en effet servi de Moi Idéal aux enfants pour se développer. On a ainsi beaucoup « levé » la race car dans les villes, les gens ne remuaient plus, ne bougeaient plus. Et le sport, c'était révolutionnaire !

Mais la famille de Pierre de Coubertin se sentait honteuse ; on se moquait tellement de lui voulant mettre le sport en vedette que tout le monde lui tournait le dos. Il était complètement fou ! Ses enfants avaient honte de leur père et sa femme avait honte de son mari. « Il dépense de l'argent pour ça ! » Sa vie aura pourtant été consacrée à faire que le sport soit réhabilité dans l'éducation des Français. Sans compter cette passion qu'il a mise à relancer les Jeux olympiques dans les pays d'Europe. Il s'y est ruiné, en même temps qu'il était mal jugé.

Cela se paie très cher d'être animé d'un désir qui n'est pas dans le consensus et qui pourtant va rendre service à la société. Il y a des êtres comme cela, animés d'un désir valant pour tous les autres, et non pour satisfaire d'une manière ombilicale leur désir à eux. Ce n'est pas un plaisir masturbatoire. Et pourtant, on se moque de leurs idées, parfois on les condamne (Galilée), mais c'est vraiment pour les autres qu'ils voient loin…

Les désirs se distinguent des besoins en ce qu'ils peuvent se parler et se satisfaire de façon imaginaire. Les besoins sont nécessaires à la survie, à la santé ou au corps. Je ne parle pas que des besoins d'apport : manger, c'est le besoin de prendre ; mais il y a aussi le besoin de faire, c'est-à-dire de se débarrasser d'urine ou d'excréments, ou encore de se débarrasser de la saleté en se lavant. Les enfants le sentent très bien, et, si on ne les oblige pas à se laver, ils sont toujours propres, dès lors qu'on leur en donne l'exemple quand ils sont petits. Il y a bien des enfants qui ont un peu peur de l'eau froide mais, dès qu'ils voient l'agrément de la propreté des grandes personnes autour d'eux, ils veulent en faire autant, parce que c'est normal chez l'enfant : tout ce qui va le promotionner à ses propres yeux et le rendre aussi agréable que ces personnes sont agréables pour lui, il y vient tout seul. Alors que les « Viens, donne-moi ta bouche, donne-moi ci », ou quand vous voyez toutes ces mères qui se lèchent pour enlever les taches sur le visage de leur enfant. C'est affreux de voir cela. Comme ces gens qui ne peuvent laisser les autres tranquilles, et qui vont aller presser sur les comédons du visage de leur voisin !

C'est de la névrose qui date de l'enfance. Il n'est pas permis de bien s'amuser et de s'être sali. Alors qu'il suffit de se laver une fois le soir quand on rentre. Inutile de s'écrier à chaque fois : « Ah, comme te voilà fait ! Oh, comme te voilà coiffé ! », etc. C'est affreux. Comme si c'était l'apparence qui faisait un être humain ! C'est son vivre vivant qui est important, c'est la joie de vivre, de communiquer, dont nous avons à donner la valeur à nos enfants, et non pas l'apparence.

Sinon, c'est le désir de la mère d'avoir un enfant « poupée », toujours impeccable, comme s'il sortait d'une boîte, au lieu d'avoir un enfant vivant. Eh bien, satisfaire le désir d'une telle mère, c'est coupable pour l'enfant. Et il faut apprendre à nos enfants à avoir le courage de « sevrer » leur mère, de ne pas satisfaire le désir de leurs parents, pour des choses sans aucune valeur morale.

Je vais vous donner un exemple.

Vous avez entendu parler de cette « Maison Verte », où nous recevons des tout-petits[21]. Maintenant, ayant compris, nous ne disons plus du tout aux mères de ne pas prendre les enfants dans leur lit. Les enfants doués et précoces, c'est vers quatorze mois qu'ils commencent à vouloir aller dans le lit des parents ; pour les moins précoces, c'est vers dix-huit mois. Ils ont envie de retourner à la vie fœtale pendant le sommeil, entre papa-maman, pour ne pas éprouver la solitude d'un être qui se sait allant-devenant fille, ou allant-devenant garçon, et qui demande à être complété par un autre. Comment dormir tout seul dans son lit, en étant privé de la présence de maman et de papa qui, eux, sont ensemble… et pourquoi moi, je n'irais pas ?

Eh bien, nous ne disons plus jamais aux parents qui s'en plaignent de ne pas reprendre l'enfant dans leur lit. Car c'est à l'enfant qu'il faut parler : « Écoute, jusqu'à quand vas-tu laisser croire à ta mère que tu peux être son bébé, alors qu'elle a peut-être envie d'avoir un autre bébé, mais qu'ils n'ont pas assez d'argent pour que ton père accepte de lui donner de quoi en faire un ? » Alors, il réfléchit, et la mère dit : « Vous croyez qu'il peut comprendre ? — Mais bien sûr : il sent que vous avez besoin d'un enfant et il essaie de vous satisfaire en jouant à la fois l'adulte et le bébé. »

Actuellement, c'est une très grande souffrance inconsciente des femmes — quelquefois consciente mais le plus souvent inconsciente — que ce besoin d'enfant. Leur corps a besoin d'enfant et parfois, elles ont aussi le désir d'enfant. Eh bien, quand les enfants atteignent quatorze, quinze, dix-huit mois, c'est le rythme où, s'il n'y avait pas de moyens anticonceptionnels, les femmes auraient de nouveau un enfant ; mais les difficultés de la réalité s'opposent à ce désir ou à ce besoin.

Autrefois, quand il y avait une très grande mortalité infantile, sur huit enfants, il en restait trois ou quatre vivants, quelquefois beaucoup moins. Beaucoup de parents disent : « Nous serions six si ma mère n'en avait pas perdu cinq. Je suis le seul vivant. » Il y avait une mortalité infantile extraordinaire dans les campagnes, et même dans les villes, au début du siècle, et encore jusqu'en 1930. C'est depuis les préceptes d'hygiène d'élevage, depuis les vaccins et les antibiotiques que la mortalité infantile a chuté et ce, dès la naissance. Les accouchements faisaient mourir nombre de femmes. Maintenant, les femmes meurent rarement en couches. Aussi ont-elles beaucoup moins peur. Leur corps a moins peur, et elles aussi. Si elles pouvaient, beaucoup de femmes auraient beaucoup plus d'enfants qu'elles n'en ont, et leurs enfants le sentent. Cette femme a besoin d'un petit, et elle a besoin de son homme aussi.

Et l'enfant, qui ne sait pas encore qui il est, s'il est fille ou garçon, c'est précisément au moment où il va le savoir qu'il voudrait retourner dans le lit pour oublier qu'il va le savoir, pour nier ce que nous appelons la castration primaire[22], c'est-à-dire qu'on est d'un seul sexe et qu'on ne peut pas se développer pour devenir la fille comme le père et le garçon comme la mère, mais qu'il faut aller, vraiment aller dans la direction de s'identifier à l'adulte du même sexe que celui qui est apparent dans le corps, aux génitoires.

Ce qui est apparent dans le corps est très important, car vous savez qu'il y a des syndromes où, le corps apparent étant féminin, les ovaires ne sont pas des ovaires mais des testicules. Eh bien, c'est le corps apparent qui structure la personnalité. Ce sont des syndromes très rares au point de vue biologique, et c'est le corps apparent qui fait que l'enfant se structure à l'image des adultes, à ses yeux valeureux, qui ont en apparence un corps auquel le sien est semblable. Un enfant veut s'identifier à l'adulte parce que l'adulte le représente lui dans son âge adulte. Ce n'est pas l'adulte qu'il imite ; il court après l'image achevée de lui, sous la forme de ce modèle et, heureusement, il change de modèle au cours de sa vie, mais au départ ce sont ses parents.

Ainsi, la réponse au problème de l'enfant par rapport au désir, c'est de lui dire : « Non, tu ne peux pas réaliser un désir d'adulte vis-à-vis de tes parents, parce que ta mère a son homme, ton père a sa femme.

— Mais, moi, je voudrais être sa femme.

— Tu ne peux pas puisque tu es sa fille.

— Ah bien alors, je veux qu'elle soit ma femme, elle est bien ta femme.

— Tu ne peux pas. Deux femmes ne se marient pas même si elles s'aiment (si c'est une fille). Tu ne peux pas parce qu'elle est ta mère, ma femme à moi.

— Et pourquoi, puisque toi, tu es avec elle ?

« — Parce que moi, je ne suis pas marié avec ma propre mère », doit dire le père.

Les enfants n'y comprennent rien si le père appelle sa femme — la mère au foyer — « maman », et si la mère appelle son époux — le père — « papa ». « Pourquoi n'ai-je pas le droit d'aller avec papa, puisque toi, tu y vas ? »

Il faut vraiment leur mettre les points sur les *i*, à ces innocents malheureux et, dès la naissance, leur dire : « ta mère, ton père ». Or, au lieu de dire : « Donne à ta maman, à ton papa », on lui dit : « Donne à maman. » Ce qui signifie que le père est l'aîné au foyer. Le langage étant piégeant, qu'au moins on lui explique : « Oui, c'est une façon de parler, mais c'est ta mère à toi, ce n'est pas la mienne. La mienne, c'est mamie. Eh bien, je ne me suis pas marié avec mamie. »

Ah bon ! ? Tout à coup, révélation pour l'enfant de l'interdit culturel de l'inceste.

La castration se donne par la justesse du vocabulaire de la parenté. C'est aussi à l'école maternelle et primaire que ce vocabulaire juste devrait être explicité, avec les devoirs et les droits que la place dans la parenté implique pour chacun.

Ainsi dirons-nous à une fillette : « Jusqu'à quand vas-tu laisser croire à ta mère que tu peux faire semblant d'être son bébé et en même temps faire semblant d'être son mari ? Tu es une fille, tu ne seras jamais le mari de maman ! »

Si elle dit : « Mais c'est pour papa que je veux aller dans leur lit.

— Tu ne seras jamais la femme de ton père.

— Si, si, si, je serai la femme à papa. »

L'enfant de dix-neuf mois vous dit cela avec véhémence.

« Ah bon, eh bien, on en parlera, et qu'est-ce qu'elle en dit, ta maman ?

— Ah, moi, je trouve ça drôle et mignon, je voulais aussi me marier avec mon père », répond la mère qui entend cet échange de paroles.

Continuez à bêtifier tous, et prenez votre enfant dans le lit jusqu'à ce qu'elle vous gêne. Ce n'est ni bien ni mal. C'est retardant pour tous les trois.

Ensuite, on revoit la mère : « Ah, vous savez, je ne sais pas ce que vous lui avez dit (c'était devant elle, mais elle ne se rappelle même pas ; elle trouvait d'ailleurs ça très drôle qu'on parle à son enfant, alors qu'elle était en train de se plaindre que l'enfant les dérangeait toutes les nuits), maintenant, il (ou elle) ne veut plus venir dans mon lit, même quand mon mari part de bonne heure le matin ; ce serait bien gentil de se câliner, mais il n'y a plus moyen. »

C'est que, lorsqu'on dit quelque chose à un enfant qui va dans le sens de son désir à lui — et de son désir marqué par un interdit qui fait qu'il peut grandir —, l'enfant le sent toujours. Les interdits structurent chez l'enfant la valeur de son désir, désir à aller plus loin que cette satisfaction à court terme qu'il cherchait : « Achète-moi quelque chose, donne-moi un bonbon, prends-moi dans ton lit », etc.

La véritable satisfaction, c'est d'en parler, et d'attendre un jour exceptionnel, à Noël, pour l'anniversaire — c'est quelque chose comme cela que l'on peut dire à un grand enfant.

« Ah, mais c'est long d'attendre !…

— Oui, c'est long ; regardons le calendrier. Tu vois, il y aura la Saint-André, la Saint-Anselme, la Saint-Barnabé. » On se met à parler de tous les saints, et on oublie que ça va être long d'avoir le camion ou d'avoir le droit à un câlin de bébé.

Ce qu'il faut avec l'enfant, c'est entrer en communication avec lui à propos de son désir, et à cette occasion, ouvrir le monde en paroles, un monde de représentation, un monde de langage, de vocabulaire, un monde de promesses de plaisirs. Une fois qu'il a son bonbon, il ne peut plus parler, on a la paix, dit-on. D'ailleurs, nous avons tous connu ça quand nous étions petits : quand il y avait une dame très embêtante qui venait voir nos parents, on lui apportait, si on avait la chance d'en avoir, des caramels mous, parce qu'on savait qu'elle se tairait. C'est ce que font les parents quand les enfants sont fatigants de questions, de demandes. La tétine au bébé, le bonbon à l'enfant, pour qu'il ne parle pas, qu'il n'observe rien, qu'il soit centré sur son tube digestif, et c'est tout. C'est ainsi que l'on met le désir au niveau du besoin, puisqu'on le satisfait. Car on serait angoissé de ne pas le satisfaire. Résultat : cet enfant est obligé de chercher de plus en plus, d'une façon farfelue, et sans langage, à satisfaire un désir, sans entrer dans la culture, qui est le langage, qui est la représentation ou la fabrication de ce qu'on n'a pas.

Regardez : quand un enfant veut un jouet qu'il n'a pas, il invente n'importe quoi. Un bout de n'importe quoi, c'est son avion, tandis que si on lui donne un vrai avion, il est rapidement cassé, il ne peut plus rien inventer, et il faut lui en racheter un autre.

La créativité, l'inventivité, c'est cela le désir,

ce n'est pas la satisfaction dans la chose même ; c'est l'évolution culturelle de ce désir dans le langage, dans la représentation, dans l'inventivité, dans la création.

Vous voyez donc que je suis au contraire pour la danse si cela convient à un enfant, et pour la musique si un enfant y est heureux. C'est autre chose si la mère voulait, elle. Car souvent une mère, ou un père, veut donner à son enfant ce qu'il aurait voulu avoir, et qu'il n'a pas eu. Il est bien qu'on donne alors à l'enfant l'opportunité de connaître ce plaisir si, en effet, cet enfant a des affinités pour cette discipline culturelle. Mais surtout qu'il ne continue pas si l'on voit que c'est une corvée pour lui. Que lui, l'adulte, s'y mette ! Il n'est pas trop tard pour se mettre à pratiquer un art — si ce n'est la danse classique, du moins l'expression corporelle.

Je connais une femme qui s'est mise au piano à quarante-huit ans. Elle est bonne exécutante, maintenant pour son plaisir. Elle s'y est mise après m'avoir dit un jour que le piano de son fils, c'était toujours des larmes et des punitions. C'était elle qui avait envie d'en faire !

Elle venait me consulter, et je lui ai dit : « Vous faites faire du piano à votre fils parce que vous auriez voulu en faire, peut-être ?

— Ah oui, je regrettais tellement !

— Il est encore temps pour vous-même, et n'embêtez pas votre enfant pour qu'il satisfasse votre désir. » Elle a réfléchi. Et cela a été une grande joie. D'ailleurs, c'est intéressant parce que cet enfant, jeune homme maintenant, aime la musique — en musicologue — et sa mère est ainsi pianiste, sur le tard. Par ailleurs, elle travaille. C'est une joie qui s'est révélée à elle après quarante-huit ans, alors qu'elle n'avait jamais touché à un piano de sa vie, et qu'elle voulait que son enfant apprenne le piano.

Pour la danse, c'est pareil : les gens veulent faire satisfaire par leur enfant ce qui est chez eux un désir rentré. Peut-être. Pourquoi pas ? Mais surtout ne pas insister.

QUESTION : *Pourriez-vous revenir sur la notion de fuite dans l'absence, ou l'ignorance chez les enfants dont la conception n'a été connue que vers le énième mois de la vie fœtale ? Ceci étant le cas pour ma fille aînée.*

F. D. : J'espère que la personne qui me pose cette question ne refusera pas la précision que je lui demande : est-ce que cette enfant marque déjà de ces moments dont j'ai parlé, qui est cette fuite par moments dans un état de non-communication, ou est-ce qu'elle n'en marque pas du tout ? Avez-vous peur à cause de ce que j'ai dit — qu'elle puisse le manifester un jour — ou le fait-elle déjà ?

RÉPONSE : *A priori, non.*

F. D. : Si elle ne montre aucun trouble, ne vous inquiétez pas des choses qui pourraient advenir mais si, un jour, vous la voyez être comme cela, vous pouvez lui dire : « Ah, peut-être que tu te réfugies dans toi-même pour n'être vue par personne, de même que tu as bien vécu quand tu étais au début de ta vie fœtale, et que je ne me doutais pas que tu étais là. » Le dire de cette façon, mais pas avant que l'enfant ne manifeste quelque chose qui vous rappelle en effet que cela peut être à l'origine de son retour à une authenticité d'elle qui a besoin de ce retour à elle-même en se dérobant au savoir d'autrui, quant à ce qu'elle pense, sur ce qu'elle est.

QUESTION : *Pourriez-vous repréciser : « L'enfant ne sait pas qu'il est un enfant, il ne se sait pas lui-même » ? Est-ce négatif pour le développement futur de l'enfant ?*

F. D. : Non, tout le monde est comme cela. Ce n'est pas négatif, c'est au contraire très positif. Le sujet qui a voulu naître se trouve dans un corps qui se développe physiologiquement, qui est marqué par le temps. Le sujet, lui, n'est pas dans le temps. Le langage n'est pas dans le temps. La preuve, c'est que Socrate est encore actuel par les écrits sur lui. Le message de Socrate n'est pas mort, il continue de porter des fruits dans la rencontre de sujets d'aujourd'hui qui lisent Platon. Quand je dis Socrate, c'est pour dire un nom ; car ce sont aussi tous les êtres qui ont apporté quelque chose à l'humanité, et qui continuent à le lui apporter, alors qu'ils sont morts depuis des centaines et des milliers d'années.

Et encore maintenant, quand nous rencontrons en archéologie des objets esthétiques magnifiques, qui émeuvent par leur beauté, c'est un auteur, un humain comme nous d'il y a tant de milliers d'années, qui nous apporte son témoignage par ce langage plastique, ce langage artistique qui nous touche, et qui nous génère, nous insémine à faire des enfants de beauté qui s'y réfèrent aussi.

Quand il y a une exposition comme sur l'art étrusque, par exemple, cela marque les gens artistes ; les enfants qui vont la voir, cela les marque tout à fait inconsciemment, et lorsque, dans quelques années ils créeront, ils vont produire des œuvres d'art qui auront été touchées de la culture étrusque. Tout ce qui est vivant, et encore vivant dans le langage, reste toujours vivant parce que c'est un langage de sujet, et pas d'un individu dans un corps ; certes, cela a été médiatisé par quelqu'un, par la médiation de corps, à un moment donné de son existence humaine, mais le sujet créatif est actuel, encore et toujours, à travers une médiation subtile qui est l'œuvre. Et toute œuvre est langage d'amour et de désir.

L'artiste s'est servi d'un matériau — terre, métal, tissu, pierre précieuse, etc. — mais ce n'est pas cela qui nous frappe ; l'objet est là, dans sa tactilité, dans sa sensorialité, mais ce qui nous émeut, c'est quelque chose qui ne peut pas se dire, dont on peut seulement parler et qui est l'esthétique. C'est la création d'un objet unique, qui n'est pas répétable, mais qui enrichit et insémine, psychologiquement et artistiquement, un être humain de son époque ou d'une autre, et bien après la disparition de tous les vivants contemporains de l'artiste auteur. C'est cela, une œuvre d'art.

C'est pour cela qu'il est difficile, à l'époque où nous sommes, de savoir quelle œuvre d'art sera encore vivante après notre époque, car il y a des œuvres d'art qui nous sont nécessaires pendant que nous sommes vivants, et qui vont plus tard se démoder complètement. Pour nous, c'était un langage qui nous parlait, mais qui n'était pas riche d'une grande spiritualité, ni d'une authentique esthétique, ou porteur d'un message, sinon immortel, du moins pouvant franchir des siècles avant de toucher quelqu'un, de « rencontrer un autre ». C'est cela qui est symbolique. C'est ce que j'attendais pour recevoir l'étincelle de la jouissance esthétique qui, dans celui qui l'éprouve, est source de joie vivante.

Vous savez comment viennent certaines vocations. Au départ — et cela ne veut pas dire que cette vocation restera telle —, c'est parce qu'on a vu tel film, parce qu'on a été entendre telle personne, qu'on a visité telle exposition. Je connais des gens qui, à un moment sensible, ont eu la révélation de leur vocation, à onze ans, neuf ans, douze ans. Ainsi une fillette est allée avec l'école à douze ans à une conférence sur le Mexique (peut-être parce qu'il y avait « mec », on ne sait pas !). Mexique : formidable ! Cette enfant jusque-là peu enthousiaste de l'école a tout à fait changé. Les études sont devenues fantastiques pour arriver à faire de l'ethnologie. Cette personne, que je connais, a commencé à faire de l'ethnologie, puis de la sociologie, puis encore autre chose, mais c'est cet enthousiasme qui a éveillé son désir de travail, cela a été le message de quelqu'un, une fraternité d'êtres qui se sont reconnus, elle parmi les enfants qui écoutait et l'ethnologue qui parlait de son voyage au Mexique, avec des images, des photos, des films. La révélation du sens de la vie !

Eh bien, c'est cela, le désir, qui trouve le moyen de se satisfaire par le très gros travail qu'à partir de là on va faire, attiré par la satisfaction de ce désir. Mais ce n'est pas un désir corps à corps, comme dans le sens d'un « Satisfais-toi et tais-toi là-dessus, et pour toi tout seul ». Non, cela ouvre un horizon, il faut un circuit long[23] de travail pour satisfaire ce désir. C'est cela notre rôle d'éducateur : satisfaire le besoin parce que sans cela, on mourrait, et parler de désir pour que le sujet, lui, cherche comment le satisfaire ; lui tout seul, pas pour nous satisfaire, nous ses parents, ou ses éducateurs, mais parce que lui, il se sent fait pour ce qui lui a été révélé par un exemple, celui de quelqu'un qui rayonnait de joie du sens trouvé dans son travail.

Voilà comment je peux vous expliquer cela. Mais rien n'est négatif. On peut dire que : ou bien les choses ne touchent pas un enfant, ou bien elles font « tilt ». C'est quand elles font « tilt » qu'on peut parler avec lui de ce qu'il vous dit. Il pose une question. Il n'écoute pas la réponse ? N'insistez pas, attendez une autre question.

Par exemple, l'enfant a besoin de savoir qu'il a un père, même si la mère est célibataire ; c'est un besoin absolu. Sans cela, il grandit de façon symboliquement hémiplégique, et cela se verra. Si ce n'est pas dans sa vie à lui, cela se verra dans sa descendance. C'est une chose que la psychanalyse a découverte. Et rien n'est plus facile que d'expliquer à un enfant qu'il a eu un géniteur, un « père de naissance », comme tout le monde, mais qu'il ne le connaît pas. Qu'il n'a pas actuellement de papa, ou qu'il a déjà eu d'autres papas, mais ils ne sont pas son père de naissance. Rien n'est plus facile. Et en huit jours vous voyez cet enfant transformé dans sa relation à sa mère, qui lui a dit la vérité. La vérité, c'est celle-là.

Il lui demande alors : « Et tu le connais, tu l'as connu ?

— Bien sûr, je l'ai connu.

— Et pourquoi ne le vois-tu plus ?

— Parce que nous ne nous sommes plus entendus.

— Tu regrettes ? » (Sous-entendu : de l'avoir connu.)

Si la mère dit : « oui », c'est foutu ; c'est qu'il n'avait pas le droit d'être né. Mais c'est autre chose si elle lui dit : « mais non, je ne regrette pas puisque tu es là, et que je t'aime »... Sinon, c'est une personne latérale à la mère, une connaissance, qui peut l'aider en disant : « Ta mère te dit qu'elle regrette mais ce n'est pas vrai puisqu'elle t'aime. Si elle n'avait pas connu ton père, qu'elle n'a plus voulu revoir après, elle ne t'aurait pas. Alors, ne t'en fais pas, ce qu'elle raconte, ta mère, ce n'est pas vrai... » Alors, vous voyez l'enfant se transformer, de se sentir le droit d'avoir eu le père qu'il a eu, et de s'être mis, lui, dans le circuit de la vie à l'occasion de cette étreinte sexuelle. Les enfants savent bien le dire : « Vous savez, les mères, il faut les laisser dire ; maintenant que je sais, elle peut dire ce qu'elle veut. »

Après, ils ont une sécurité en eux parce que quelqu'un leur a dit la vérité que leur mère leur cachait ou que par caractère elle leur déguisait :

«Ah, c'était un salaud! Je ne veux pas qu'il connaisse son père, il nous a plaqués tous les deux»; et quand on étudie la question, bien sûr, il est vrai qu'elle aurait eu de quoi se douter que cet homme, comme elle dit, allait les «plaquer». Mais, heureuse d'avoir l'enfant, elle l'a gardé. Et si elle n'était pas heureuse d'avoir l'enfant, alors que l'homme aurait voulu le garder, pourquoi l'a-t-elle gardé? Ce sont des choses très importantes parce qu'elle peut dire à l'enfant: «Le jour où tu voudras retrouver ton père, ce ne sera certainement pas impossible pour toi, mais moi, je ne t'aiderai pas. J'ai trop souffert quand il est parti pour une autre; mais toi tu pourras très bien te débrouiller pour aller le voir; c'est ton affaire.»

Là-dessus, vous voyez les enfants qui démarrent parce que leur désir n'a pas été contredit, il a été justifié: «Moi, je ne t'y aiderai pas, mais je ne suis pas contre, à toi de te débrouiller; je peux même te donner la dernière adresse que j'avais, ou l'adresse du village où je l'ai rencontré, celle de ta grand-mère paternelle…», etc.

Il s'agit d'aider l'enfant à satisfaire ses besoins, et pour ce qui est de satisfaire ses désirs, non pas l'aider mais lui donner son autonomie. Ne pas satisfaire ses désirs, mais lui parler de ses désirs, qui sont toujours justifiables, même si on ne veut pas l'y aider, ou si on n'a pas de quoi lui donner ce qu'il demande. S'il veut avoir un vélo, une mobylette, et qu'on n'a pas de quoi la lui payer, ou que la mère a trop peur pour la lui offrir (à l'âge où la loi le permet), elle peut lui dire : « J'ai trop peur qu'il t'arrive un accident, je ne veux pas te payer une mobylette ; maintenant, tu es en droit par la loi, débrouille-toi ; si tu peux arriver, d'une façon licite, à avoir de l'argent, je n'aurai pas le droit de m'y opposer. » C'est tout.

C'est cela, soutenir l'enfant à prendre son autonomie (je parle d'un grand enfant) : satisfaire chez l'enfant ses besoins, mais pas tous ses désirs, parce que les désirs des parents ont le droit de se dire aussi, ou même le devoir de se dire.

QUESTION : *Que dire aux enfants devant la mort par suicide de leur mère, ou d'un membre très proche de leur famille ?*

F. D. : Mais dire la vérité tout de suite, tout de suite, en même temps que tout le monde la sait et en reçoit le choc. Sinon, si vous ne lui parlez pas de ce qui se passe, vous traitez l'enfant en animal domestique. Il faut lui dire :

« Il est mort.

— Mais comment ?

— Cela s'appelle le suicide.

— Ah, qu'est-ce que cela veut dire ?

— Eh bien, j'ai trop de peine, je ne peux pas te le dire, demande à qui tu veux, regarde dans le dictionnaire. »

Dire la vérité. Et après : « Pourquoi il s'est donné la mort ? »

On parle devant un drame pareil. Il n'y a pas d'âge pour le dire. On peut dire cela à huit jours, à quinze jours, il n'y a pas d'âge. Et il faut que ce malheur soit dit, tel que les parents responsables de l'enfant l'éprouvent. C'est comme cela que nous l'aidons le mieux. Et puis : « Cela me fait trop de peine de t'en parler, parles-en à d'autres personnes ; tu as tout à fait raison de chercher, mais moi j'ai trop de peine, je ne peux rien en dire », par exemple. Mais justifier le désir de l'enfant, et lui offrir la possibilité de s'éclairer ailleurs, au lieu de cacher. Il n'y a rien à cacher dans un suicide, c'est un malheur. Je ne vois pas pourquoi il faudrait cacher.

Que dire devant eux ? Dire ce qu'on peut en

dire, c'est tout. On se demande d'ailleurs pourquoi les gens hésitent.

J'ai vu très souvent des enfants qui calaient à partir d'un certain moment dans leur classe, et quand on remontait dans le temps avec les parents lors des séances préliminaires — avant de voir un enfant, c'est très important, ces séances préliminaires — on arrivait ainsi finalement à remonter au début de la perturbation affective. « Ah, c'étaient les vacances où la grand-mère (paternelle ou maternelle) est morte. On ne le leur a pas dit, vous comprenez, on ne voulait pas leur gâcher les vacances. » Les parents étaient revenus, avec des mines tristes comme ça, mais sans rien dire aux enfants ! Alors que c'est un enfant qui voyait sa grand-mère tous les huit jours, le dimanche ! Dès qu'il revient à Paris, il demande donc : « On va aller chez Mamie ?

— Ah bien, non, Mamie est à l'hôpital.

— Ah bon… »

Et puis, elle est toujours à l'hôpital. La fête de Noël approche : « On invite Mamie ?

— Ah non, elle est trop fatiguée (ou : elle est en voyage).

— Mais je peux lui téléphoner ?

— Non, non, tu la dérangerais. »

La chose traîne ainsi, peu à peu un fossé s'établit, et l'enfant se déprime.

J'ai vu cela combien de fois ! Et pas seulement pour la mamie, ou pour une histoire grave comme ça qui est arrivée dans la famille. Mais aussi pour un camarade qui meurt, on ne veut pas le dire, on raconte : « Il n'est pas revenu en classe, il a changé d'école », alors que c'était son meilleur ami qui a eu un accident pendant les vacances. Et vous voyez ces enfants se dévitaliser lentement parce qu'ils n'ont pas les mots pour dire où est leur chagrin. Il y a quelque chose d'intense chez eux qui est dévitalisé. Il faut donc tout de suite dire.

Même un suicide, cela peut être très positif dans une famille ; ce n'est pas forcément négatif, un suicide. On ne sait pas. Nous ne savons pas ce que c'est pour celui qui est mort ; nous ne savons pas si ce n'est pas même un acte d'héroïsme de sa part, pour sauver ses enfants, si c'est un père, ou si c'est une mère qui n'a pas été entendue dans ce qu'elle aurait eu à dire. On peut le regretter, mais ce n'est pas à cacher à l'enfant.

Les rites de deuil, l'enfant doit y être associé, même s'il est tout petit, porté dans les bras ; il s'agit d'associer cet être humain aux événements émotionnels de sa famille. Cet engramme va lui rester dans les perceptions optiques (peut-être pas consciemment, mais inconsciemment), du fait qu'il a été associé à la famille comme un humain. Car le sujet n'a pas d'âge, il est tout de suite autant adulte qu'à vingt ans… Il n'y a pas d'âge. C'est pour cela qu'un enfant ne sait pas qu'il est un enfant, car il est désirant et le désirant ne sait pas quel est son âge. D'ailleurs, nous le savons tous. Quand nous désirons quelque chose et que les gens nous disent : « À ton âge ! » Ce n'est donc pas de notre âge ? On s'en fiche pas mal !

Pour un enfant, c'est pareil : il a l'âge de son désir et nous ne le connaissons pas toujours. Il peut l'exprimer et, dans la mesure où il l'exprime, et où c'est réalisable socialement, lui dire par exemple : « Travaille à le réaliser, je ne suis pas contre ; je ne t'aiderai pas parce que ce n'est pas mon avis, mais tu as raison, pourquoi pas ? Continue. »

C'est cela qui est important.

QUESTION : *Quelle est la place du désir de l'adulte dans le lieu de vie où il y a des enfants : crèches, haltes, modes de garde ?*

F. D. : Cela dépend de chaque adulte. Je ne sais pas.

QUESTION : *Peut-il exister ?*

F. D. : Si l'adulte existait sans désir, ce serait un mort vivant.

QUESTION : *Les enfants peuvent-ils être protégés de ce désir ?*

F. D. : Vous voulez peut-être parler d'un désir sexuel de l'adulte pour l'enfant ? Oui ?

Alors en effet, c'est une mauvaise indication, quand on travaille avec des enfants, d'y trouver son petit bordel. Il vaut mieux travailler à autre chose parce que ça, c'est détourner l'enfant de son devenir. C'est pervertir un destin.

Nous avons affaire à cela dans ces lieux de vie : les enfants, en effet, sont très adroits à susciter le désir chez l'adulte, ils n'ont que ça à faire, à penser. Mais l'adulte qui sent qu'il va se servir d'un enfant pour satisfaire un désir sait que cela ne doit pas être dans son travail. C'est une faute professionnelle. Qu'il fasse comme il peut avec ce désir hors la loi, et où il peut, mais pas dans son travail, auprès des enfants que les parents lui ont confiés pour qu'ils adviennent à leur désir dans leur classe d'âge, dès maintenant, pour ainsi les préparer à devenir adultes. Désirer sexuellement, génitalement, un enfant qui n'est pas mûr génitalement, c'est un abus de pouvoir, puisque l'enfant peut difficilement s'y dérober, et c'est quelque chose de très dommageable.

Je sais que ce n'est pas toujours catastrophique, et j'ai vu des jeunes gens — mais c'est donc plus tard — qui en fait avaient été sauvés de la délinquance par des homosexuels (hommes ou femmes) ayant été très paternels ou maternels avec eux, soutenant leur développement. C'étaient des enfants relativement abandonnés, mais déjà mûrs au point de vue physiologique, et qui, à une autre époque que la nôtre, auraient eu droit à des relations génito-génitales. Après la nubilité, c'est tout à fait différent. Mais pour les enfants, c'est tout à fait nocif que des parents ou des adultes éducateurs aient des désirs et les satisfassent pour une jouissance sexuelle aux dépens d'un enfant. Par exemple, flanquer des fessées pour le plaisir, ou flanquer des paires de claques parce que cela leur fait du bien, c'est la même chose, c'est sexuel. Ce n'est pas génital, mais c'est sexuel de prendre plaisir à cela. De même, des caresses qui leur donnent des émotions sexuelles ou génitales, il faut absolument que les adultes s'en empêchent dans le travail, ou alors qu'ils changent de travail. À supposer que c'était cela, votre question.

QUESTION : *Comment l'adulte peut-il travailler dans un lieu de vie, sans que ce désir puisse s'exprimer ?*

F. D. : Mais le désir que les enfants deviennent des gens bien, c'est un désir génital sublimé chez l'adulte. C'est cela, le désir des adultes éducateurs : libérer l'enfant des entraves qui l'empêchent de faire sa vie. Tel est le désir de l'éducateur, mais ce n'est pas un désir génital, dans le sens corps à corps, ou en avoir une jouissance physique, une satisfaction cutanée, un désir de l'embrasser toute la journée, non. On n'est pas là pour le corps à corps quand on éduque les enfants, et si un enfant ne peut pas faire autrement que d'embrasser la personne qui est son éducateur, celui-ci doit répondre : « Oui, je t'aime bien », mais non l'embrasser en retour.

C'est très important, cette réserve dans les satisfactions de corps à corps. Avec l'enfant, tout doit se dire par la parole pour que l'agir soit éducatif. Le reste, c'est une faiblesse momentanée. Par régression, on donne un baiser de nourrice à un enfant qui vous en aura donné un, et on dira : « Ah, ce qu'on s'aime ! » Bon. Mais il ne faut pas que cela continue, sans quoi l'enfant régressera. Il saura très bien comment jouer sur la chanterelle, se faire préférer, trouver des excuses pour ne pas faire ce qu'il a à faire, à savoir les tâches qui lui incombent pour être dans l'ordre d'un développement continuel, d'un effort à se développer, à s'autodéterminer, à prendre ses initiatives à lui. Il vient se réfugier chez quelqu'un qui doit, par la parole, l'aider à se retrouver, à y trouver son plaisir. Mais pas pour faire plaisir à l'éducateur, pour se faire plaisir à lui, l'enfant, par rapport à son histoire, par rapport à son passé.

Par exemple, à un enfant qui a réussi quelque chose, lui dire : « Qui voudrais-tu qui soit fier de ta réussite ?

— Mais, c'est pour vous, c'est pour vous.

— Mais non, ce n'est pas pour moi. Je suis la maîtresse pour tout le monde. Si tu cherches à me faire plaisir à moi, tu vas rater ta vie, mon enfant, parce que moi, je ne pourrai rien faire pour toi. Il faut que tu cherches à faire plaisir à

117

d'autres qu'à moi. Moi, c'est mon métier, je suis payée pour cela, je n'ai pas besoin de plaisir. Tâche plutôt de le faire pour quelqu'un d'autre. »

C'est ainsi qu'une maîtresse de classe peut aider un élève qui voudrait tout le temps lui faire plaisir pour être comme s'il était son enfant. Eh bien, non. Notre rôle, c'est en paroles de dire : « C'est à ta mère que cela peut faire plaisir.

— Oh, ma mère, elle s'en fout.

— Cherche une autre femme qui ne s'en foutra pas, comme tu dis, mais ce n'est pas moi. »

En même temps, la maîtresse parle avec lui, elle est contente, elle rit ; cela se fait avec humour : « Tu sais bien qu'on ne se mariera pas, nous deux ! Ne cherche pas à me faire plaisir. Moi, j'ai mon jules. Tu ne le connais pas, mon mari (mon fiancé), mais il est très bien.

— Ah, il est comment ?

— Il est très bien. »

Les filles disent : « Ah, elle a un mari très bien ! » Du coup, vous calmez la flamme homosexuelle qui commençait chez telle fille. Elle se dit : « Zut, je ne pourrai pas être sa dulcinée parce qu'elle a mieux que moi. »

C'est ainsi qu'on aide les enfants : on manifeste avoir reconnu leur désir en n'en riant pas, en le justifiant parfois, en s'y dérobant en même temps, mais alors en en donnant la raison. La raison : parce qu'on n'a pas d'argent et qu'on refuse d'acheter un jouet ; parce qu'on n'en a pas besoin, parce qu'on a déjà ce qu'il nous faut, etc. ou : « parce que je suis responsable du budget ». Mais il faut justifier le désir que l'on ne satisfait pas. Le parler.

QUESTION : *Par leurs paroles seules, les parents peuvent-ils se délimiter des domaines réservés, dans lesquels les enfants n'oseront jamais pénétrer ?*

F. D. : Je ne sais pas ce que cette personne veut dire, il faudrait détailler un peu. Si leur chambre à coucher doit être sacrée ? C'est difficile. La chambre à coucher des parents, c'est vraiment l'endroit où, dès qu'ils ont le dos tourné, on va sauter sur le lit.

Le domaine réservé, c'est quelque chose que personne ne peut violer, c'est leur cœur l'un pour l'autre, mais ce ne sont pas des choses qui peuvent se dire. Cela ne peut pas se dire au grand jour, l'amour qu'on a pour un être. Et là, c'est un domaine réservé, que personne ne pourra jamais violer. C'est quelque chose de tellement intime que cela ne se voit pas ; c'est quelque chose de vrai. Je ne sais pas ce qu'est le domaine réservé… Le tiroir de la table de nuit où il y a les capotes anglaises ? Soyez sûrs que les enfants les ont déjà trouvées. Et ils réagissent : « Qu'est-ce que c'est que ça ?

— Écoute, cela me gêne de te le dire. Quand tu seras plus grand, je t'expliquerai.

— Ah, mais ça doit être pour protéger les doigts ! ah ! »

Tout content, ce n'est pas un secret. Et puis, vient un jour où l'on explique : le père décide d'initier son fils aux actes dont l'homme est responsable dans les relations sexuelles. « Ah, bon, ah bien, c'est formidable, mais c'est pas commode d'être une grande personne ; chaque fois qu'ils veulent s'aimer, il faut qu'ils évitent de faire un enfant ; ce n'est pas rigolo. » Etc.

Je ne vois donc pas très bien ce qu'on veut dire ici par domaine réservé. Les enfants devinent tout. Ils peuvent très bien garder des secrets. Il suffit de le leur dire. Une femme a un amant, que par hasard l'enfant a vu. Ce n'est pas du tout la peine de lui raconter un baratin. Il a perçu l'émoi de la mère et de l'autre, il pose des questions : « Tu as vu qu'il y a quelqu'un dans ma vie, qui n'est pas ton père ; j'aimerais bien que tu ne le lui racontes pas. Je ne sais pas du tout ce que cela va donner. Si vraiment j'en étais sûre, je serais déjà séparée de ton père. Tu vois… », etc.

Une femme est venue me dire : « Mon enfant m'a vue, qu'est-ce que je vais faire ? Et qu'est-ce qu'il va faire ? — On verra bien. Qu'est-ce qu'il y aura de pire, quand votre mari le saura ? Cela vous aidera peut-être à divorcer. »

Ou alors, l'enfant l'aura gardé pour lui, et il aura mûri en se disant : « Tiens, ma mère n'a pas que moi dans la vie (puisqu'il savait que cela ne marchait pas du tout avec le père, que les parents restaient ensemble comme des potiches, mais pas en s'aimant), cela fait partie de la vie ! » L'enfant a compris et à partir de là, il faut le prendre en compte : expliquer le conflit, ne plus cacher la vérité qu'il a découverte, mais au contraire en parler.

Ce qui n'est pas dicible et ne sera jamais dicible, c'est ce qui est intime, et qui est vécu tellement profondément qu'on ne peut pas en parler. Si l'enfant un jour le devine et le dit : « Tu es fin, tu as deviné. » Je ne vois pas ce qu'il y a à cacher, à partir du moment où nous assumons nos agirs et nos contradictions. C'est cela être adulte, ce n'est pas être parfait.

QUESTION : *Une parole reçue dans l'enfance peut-elle décider de toute une vie ? Pourriez-vous donner des exemples ?*

F. D. : Oui, je vous ai dit l'histoire du Mexique. Il y a aussi ce que font les Gitans pour renouveler les musiciens.

J'ai appris cela quand j'étais au pèlerinage des Saintes-Maries-de-la-Mer, chez une amie qui connaissait de nombreux Gitans. On a beaucoup parlé, c'était passionnant. Elle racontait que pour les Gitans musiciens, dans le clan, le groupe, la tribu, je ne sais pas comment ils disent, quand le meilleur musicien d'un instrument se sent vieillir, ils parlent entre eux : « Il faudrait bien qu'il y ait un enfant qui reprenne », et pendant les six dernières semaines de la grossesse d'une des femmes enceintes, ce meilleur musicien vient jouer tous les jours pour le fœtus, et puis encore tous les jours durant les quelques semaines qui suivent sa naissance ; il vient jouer tous les jours de son instrument, pour le bébé, et ce qu'il joue le mieux. On laisse les choses comme ça, et on est sûr que cet enfant-là prendra cet instrument-là en grandissant. Ils m'ont raconté que c'est toujours ainsi qu'on prépare la relève. Avant la naissance et les premiers temps après la naissance. C'est de cet instrument-là dont il voudra jouer quand il va être en âge de désirer s'exprimer. C'est très joli. Vous voyez : c'est plus qu'une parole, la musique. C'est un message signifiant de langage.

Il est certain que le langage qui est entendu très jeune et donné avec amour — parce que cela, c'est une chose donnée avec amour — porte un être pour l'avenir. Mais il faut un temps de latence entre ce moment et la réalisation. C'est vraiment la graine qui est dans la terre, et qu'on ne voit plus jusqu'à ce qu'elle germe. Et ce n'est pas direct, du genre : « Fais ça pour me faire plaisir… Et allez, fais tes gammes !… » Non, ce n'est pas ça du tout. Le désir, ça sourd de l'intérieur, et c'est inexorablement appelé à s'exprimer à l'extérieur. Et c'est cela que nous avons à soutenir, non pas facilement, et à justifier, en en donnant les moyens si c'est possible. Cela peut-être très difficile, mais : « Tu as du courage, tu auras le courage ; si vraiment tu veux, tu le feras, tu y arriveras. »

C'est cela, notre travail d'éducateur.

UN PARTICIPANT : *Depuis un an, un groupe de professionnels, de professions variées : pédiatres, psychologues, psychiatres, infirmières, puéricultrices, quelques sages-femmes, des institutrices également, se rencontrent pour échanger autour de leur pratique, parce que chacun ressentait un besoin d'élargissement des questionnements. Des groupes de travail foisonnent, des rencontres ont permis par exemple à un groupe de démarrer pour réfléchir sur ce que pourrait être la parentalité, et la création d'un lieu de rencontres dans leur ville.*

D'autres groupes réfléchissent dans d'autres directions. Et si des gens dans la salle se sentent concernés et veulent les rejoindre, ils en seraient très heureux.

F. D. : Il est important, surtout si vous avez été intéressés aujourd'hui, qu'entre vous vous échangiez votre expérience avec d'autres et, je crois, d'après ce que vous m'avez dit ce matin, que c'est depuis après le congrès de Cannes qui concernait les enfants tout petits[24]. C'est vrai que cela induit beaucoup de gens à travailler ensemble. Le fait même de mettre en mots la question qu'on se pose éclaire déjà, et puis les autres vous éclaireront aussi.

RÉPONSE : *Nous voulons faire de ce lieu de parentalité un lieu vivant pour des petits enfants, accompagnés de leurs parents, ou de leur nourrice ou baby-sitter, ou grand-mère, des gens qui s'en occupent tous les jours. C'est un lieu où des professionnels se rencontrent, mais cela est ouvert le plus largement possible, c'est-à-dire que peuvent y participer institutrices, psychologues, psychanalystes, psychiatres, assistantes sociales, puéricultrices, sages-femmes, etc.*

Si nous voulons créer un lieu de parentalité, il faut qu'une équipe intéressée par la création de ce lieu puisse se constituer.

Elle a déjà commencé à se constituer. Notre problème, c'est qu'il y a très peu d'hommes, et que nous ne pouvons fonctionner que si cette équipe est mixte. Évidemment, les femmes intéressées peuvent venir nous rejoindre, mais je fais un appel tout particulier aux hommes.

On me demande : pourquoi un lieu de vie pour tout-petits ? (Quand je dis tout-petit, cela peut être avant la naissance, cela peut même être avant la conception ! On peut aller dans un lieu de parentalité avant d'avoir conçu un enfant ; cela peut être pendant la grossesse ; cela peut être à la sortie de la maternité, ou jusqu'à ce que l'enfant ait trois ans révolus, c'est-à-dire quatre ans.) Parce que jusqu'à présent, il n'existe aucune institution qui leur per-

mette d'avoir une vie sociale précoce. Et là, c'est un lieu qui permet à de tout petits enfants d'avoir une vie sociale précoce, accompagnés de leur famille.

Jusqu'à présent, dans tout ce qui existe : haltes-garderies, crèches, écoles maternelles, etc., le tout-petit est toujours coupé de ses liens parentaux, c'est-à-dire, si ce n'est pas les parents, ce sont les gens qui s'en occupent tous les jours. C'est un lieu de vie.

F. D. : C'est un peu à l'image de ce que nous avons créé à Paris, depuis 1979, qui s'appelle « la Maison Verte ». C'est un lieu de vie tout à fait transitoire. C'est pour préparer les enfants à la crèche avant deux mois, les préparer à la garderie, afin qu'elle ne soit pas pour eux une expérience qui les rende insomniaques (car c'est toujours cela, l'effet de la garderie : les insomnies), mais aussi les préparer à l'école quand ils n'ont pas eu de vie sociale avant. C'est les préparer à être en société séparés de leurs parents, sans angoisse. Pour cela, il faut que la société les ait accueillis avec leurs parents dans un lieu différent.

Permettre à la mère de venir à la crèche les premiers jours, c'est mauvais, en ce sens qu'elle ne s'occupe pas des autres enfants. Or, on permet à un enfant de venir avec sa mère. De même, dans les garderies, on permet aux mères de rester. C'est la prime à l'hystérie. Lorsque l'enfant ne dit rien, on dit à la mère qu'elle peut s'en aller, et à la mère de l'enfant qui crie, on dit qu'elle peut rester. Ce sont les caprices de l'enfant qui font la loi, ou le voyeurisme de la mère inoccupée au milieu des femmes professionnelles actives.

Ce lieu de parentalité que vous voulez faire dans votre ville, c'est très bien parce que c'est différent des lieux qui, pour en faire un individu de la société, accueillent l'enfant en le séparant des parents.

L'inconvénient, pour les enfants qu'on met en crèche, c'est qu'ils ont deux personnalités. À la crèche, le groupe « porteur » des autres enfants sert d'équivalent maternant et les femmes qui s'occupent d'eux servent d'équivalent paternant, tandis que lorsqu'ils vont à la crèche après avoir été dans ce lieu de parentalité, les enfants savent qui sont leurs parents, ils savent qu'ils ne sont pas remplaçables par des personnes qui s'occupent d'eux par métier, payés par les parents.

Quand on parle devant un bébé sans parler à sa personne, peu à peu, il n'écoute plus. On a cité un cas tout à fait semblable : un enfant a perdu sa mère, personne ne le lui a dit ; alors, quand on commence à en parler, il s'en va, il sait qu'il ne doit pas entendre cela. C'est dire qu'il est déjà complètement fermé au droit à vivre son épreuve de façon humanisée. Il est complètement esseulé par rapport à la mort de sa mère, et il sait que la société ne veut pas partager avec lui les représentations qu'il peut avoir de cette souffrance.

Pour le bébé, c'est pareil. Quand la mère dit : « Ah, qu'est-ce que j'ai passé avec lui ! » en racontant son accouchement, le début de son allaitement, nous nous adressons à lui : « Tu entends ce que dit ta mère ; elle est en train de parler de tout ce qu'elle a souffert à cause de toi, et toi, c'est pareil, tu souffrais de sa souffrance. » Nous parlons de ce que les parents disent, sans répondre aux parents, en ventilant leurs dires par rapport à l'enfant.

Ce sera très bien si vous y arrivez. Pour la Maison Verte, cela a été très difficile de faire passer mon idée de prévention des troubles psychosociaux, névrose, psychose, qu'on voit apparaître quand il est trop tard. Pour cela, il faut faire communiquer parents et enfant, bien avant qu'il n'y ait un symptôme fixé.

Prenons l'exemple de l'insomnie chez les

petits[25]. L'insomnie est un symptôme qui va s'installant et qui souvent devient un mode de vie. Les parents n'y comprennent rien, nous non plus. Eh bien, quand l'enfant a vraiment pris son pied à la Maison Verte, cela disparaît : il dort la nuit suivante. Les enfants qui s'ennuient ont besoin de parents la nuit pour s'amuser.

Comme je disais, les enfants de crèche ont deux personnalités : la personnalité d'objet de la société, et la personnalité d'un sujet qui reste en panne à l'époque où les parents ont commencé à les mettre à la crèche sans les avoir prévenus, sans leur dire combien ils vont être tristes de les mettre à la crèche, mais que c'est nécessaire.

Et surtout, que les mères n'embrassent pas leur enfant dès qu'elles arrivent à la crèche pour les reprendre. C'est très dur, d'autant que les maternantes le leur reprochent : « Dites donc, vous n'êtes pas pressée de voir votre enfant, vous ne l'embrassez même pas ! »

Il faut qu'elles tiennent le coup en arrivant. Tous les enfants des crèches hurlent en voyant leur maman parce qu'ils sont affolés d'être des biberons dévorés. Ils ont été lâchés avec des baisers d'adieux affolés, ils sont retrouvés avec des baisers ardents de mère frustrée une journée entière sans eux. Ils savent qu'arrive le commando des panthères qui vont se jeter sur eux, mais ils ne savent pas encore laquelle est leur mère. Ils ne la reconnaissent qu'à son odeur et à son rythme. Ils n'ont pas le temps de l'avoir reconnue que déjà elle est en train de les dévorer. Tout change s'ils entendent la voix de la mère, s'ils perçoivent son rythme pour les habiller, si elle fait le relais avec la maternante : « Ça s'est bien passé, la journée ? » etc. Et à l'enfant : « On va retourner à la maison, on va voir ton père, tes frères et sœurs, on rentre. » Quand c'est fini, avant de le mettre dans la poussette, oui, qu'elle l'embrasse à ce moment-là. Ou alors, à la maison, la fricassée de museaux, pourquoi pas ? Mais pas dès qu'elle arrive à la crèche.

Voilà comment il faut préparer les enfants qui iront en crèche. D'ailleurs quand elles voient ces petits de deux mois, les dames de la crèche disent : « Ils ne sont pas comme les autres, ceux de la Maison Verte. Ils écoutent, ils ont les yeux ouverts, ils ne se ferment pas, ils ne crient pas quand on leur fait attendre leur biberon. Il suffit de leur dire : "Je viens, je ne t'ai pas oublié" ; quand les mères arrivent, ils ne crient pas. Et ce sont des enfants qui ont des mimiques expressives. »

Quand les mères savent qu'elles vont avoir à mettre leur enfant en crèche, elles viennent à la Maison Verte. Il faut d'abord qu'il s'habitue à ce lieu, et ensuite on le prépare à ce qu'une autre personne assiste au change et lui donne son biberon, la mère restant présente.

Il faut que les mamans sachent qu'elles ne doivent pas sevrer le bébé deux jours avant de le mettre à la crèche, qu'il faut déjà l'avoir habitué à une autre alimentation. Il faut faire les choses progressivement. Auparavant, il est bon que, dans un lieu comme la Maison Verte, la mère passe la main à une des personnes d'accueil pour que celle-ci commence à changer l'enfant devant la maman qui rassure son bébé : « Ce sera comme cela à la crèche, les dames te changeront — on les appelle les taties —, ce sont des personnes qui sont au service de tes parents, et payées par eux pour s'occuper de toi. »

Il est très important que l'enfant sache qu'il n'a pas à aimer ces personnes, et qu'elles n'ont pas à l'aimer. Si elles l'aiment, tant mieux ! Mais ce n'est pas l'important. L'important, c'est qu'elles soient à son service, au service de ses parents, et efficaces pour assurer ses besoins, car sans le secours d'autrui il ne peut survivre.

Cela paraît extraordinaire à dire, mais l'effet

est absolument radical pour la bonne santé de l'enfant, qui garde ainsi sa personnalité. Il sait qu'il est fils ou fille d'un tel ou d'une telle et que, quel que soit le milieu dans lequel il est, il n'est pas l'objet de ce milieu, il n'est pas l'objet des personnes qui s'occupent de lui. Il est toujours lui-même, articulé à ses parents, confié momentanément à telle ou telle personne, qui n'a pas du tout de droits inconditionnels sur sa personne.

À l'école, c'est pareil, il faut prévenir l'enfant que la maîtresse n'a aucun droit sur lui ; elle a le devoir de l'enseigner. Si c'est une personne nerveuse, elle peut avoir parfois des claques au bout des mains, elle peut aussi donner des bons ou des mauvais points. La maîtresse est payée pour enseigner ; elle n'est pas payée pour être gentille. Si c'est le cas : « Tu as bien de la chance qu'elle soit gentille. » Combien ai-je vu d'enfants en deuxième année d'école primaire vouloir revenir à la première année parce qu'ils y avaient eu une maîtresse gentille, alors qu'une maîtresse doit n'être ni bonne, ni méchante. L'important est que l'enfant soit à l'école avec d'autres, qu'il sache que la maîtresse est payée pour le socialiser par l'enseignement, et qu'elle ne remplace jamais une maman. C'est la loi d'aller à l'école à partir de tel âge. Ce n'est ni bien ni mal de ne pas aimer ou d'aimer y aller. C'est plus agréable, tant qu'à faire, d'y trouver du plaisir !

À la rigueur, une nourrice est une autre maman, — pas la mère de naissance, une autre maman —, mais jamais un professeur. Ces choses-là peuvent être dites dans ces lieux d'accueil aux enfants de moins de trois ans, cela les aide énormément pour la suite.

QUESTION : *Vous avez parlé de la voix inductrice de l'autre. Pouvez-vous développer ce point par rapport aux enfants sourds-muets ?*

F. D. : Les sourds de naissance ne sont pas muets du tout. Les sourds sont très parlants, pas avec ce qui s'entend, pas en faisant des modulations de la voix audibles par l'oreille ; il y en a aussi qui entendent les sonorités, les vibrations, ils ne sont pas sourds à tout. En tout cas, ils sont pleinement dans le langage, dans le langage visuel, dans le langage olfactif, rythmique, mimique, gestuel.

Il y a des enfants sourds et aveugles. C'est soignable, j'en ai moi-même soigné, et encore à dix-neuf ans, alors qu'on les croyait arriérés[26].

Ils ont comme moyen discriminatoire de l'autre l'odeur et le toucher. On peut très bien communiquer avec eux, en tout cas quand ils sont petits.

Tant mieux si les parents dont l'enfant est sourd savent qu'il est aussi dans le langage, autant qu'un enfant entendant — pas dans le langage verbal, mais dans le langage mimique, dans le langage complice, langage de joie, de peine, de relations interpsychiques — et qu'ils peuvent arriver à coder ce langage selon la langue des signes de leur ethnie. S'ils peuvent apprendre la langue des signes pour leur enfant, bien sûr c'est très bien, mais si, pour commencer, ils peuvent signifier à distance par des mimiques, et en tout cas, entrer en contact avec leur enfant par tous les moyens autres que le moyen verbal, audible, c'est déjà très important.

Les enfants sourds sont dans une magie continuelle. Par exemple, la mère entend la voiture de son mari qui arrive ; elle va au-devant de lui, à la porte. L'enfant qui a vu le père entrer lorsque la mère ouvre la porte, va lui-même ouvrir pour faire entrer le père, et il ressent alors une impuissance épouvantable. Jamais lui ne pourra faire apparaître le père, pense-t-il, car on

134

ne lui a pas dit qu'il était sourd. On ne dit pas aux enfants qu'ils sont sourds et c'est une grosse erreur.

Tout enfant qui a une infirmité, il faut lui en parler tout de suite, dès qu'on l'a vue.

En lui disant son infirmité dès qu'on la connaît, on peut élever un enfant différemment car, à partir de là, il n'est plus dans un sentiment d'impuissance continuelle. Il sait de quoi il est infirme, grâce à quoi il peut compenser par les autres sens, par les autres moyens de communication qu'il a de façon beaucoup plus aiguë que ceux qui n'ont pas cette infirmité.

Au fond, nous descendons les escaliers avec nos yeux. Je m'en aperçois davantage en vieillissant. Je suis depuis quarante ans dans le même immeuble, avec un escalier que je connais bien, mais quand il y a une panne de courant je prends la rampe. C'est à croire que d'ordinaire c'est avec mes yeux que je descends l'escalier !

L'enfant sourd, lui, a les yeux encore plus au guet de tout ce qui est signifiant : les nuances, les visages, et puis il y a l'olfaction. L'odeur de chacun de nous aussi est spécifique de notre être vivant. Notre odeur change suivant les sentiments qui nous habitent et les jeunes enfants, chez qui on peut valoriser l'olfaction quand ils perçoivent les personnes à distance, reconnaissent ainsi les personnes familières, s'ils ne les voient pas ou ne les entendent pas. Ceci demeure chez les enfants qui n'ont pas l'audition. Les paires de nerfs crâniens commandent les yeux et les oreilles. Quand nous écoutons à droite, nous ne pouvons pas faire autrement que de tourner les yeux à droite. L'enfant qui n'a pas d'oreilles pour entendre écoute, si l'on peut dire, avec les yeux, avec une espèce de tactilité, de radar.

Vous avez peut-être lu des témoignages d'aveugles qui découvrent l'espace par une espèce de radar. Un jour J, l'aveugle — qui l'est devenu sur le tard — découvre qu'il sait complètement l'espace dans lequel il est par le sens d'une perception de la profondeur, de la largeur de la pièce, et ce d'après un radar inconscient jusque-là qui devient tout à coup conscient. J'ai lu un livre très intéressant paru dans les années vingt, écrit par un aveugle de guerre, qui était « paumé » jusqu'au jour où tout d'un coup, ça lui est venu. Un aveugle-né lui avait parlé de ce phénomène. Il s'est dit : « Ce n'est pas possible pour moi, j'étais trop âgé quand je suis devenu aveugle (il était devenu aveugle pendant la guerre de 1914). » Et pourtant, un beau jour où il était perdu dans sa solitude dans un brouhaha, avec un groupe d'aveugles comme lui, tout à coup il s'est senti porté, il était dans un état un peu inconscient. Et alors, il a eu la perception du «radar», des murs à droite, à gauche. Il a aussi senti à un endroit des plantes vertes, qui devaient tamiser la sonorité. Il a interrogé les autres, plus anciens dans leur infirmité : «Mais oui, lui ont-ils dit, c'est formidable, ça y est, tu as le radar. Maintenant ta canne ne te servira presque plus, fie-toi à ton radar. » C'est étonnant.

Les enfants sourds, eux, ont le moyen, par leurs yeux, de comprendre les gens, ils ont la tactilité, l'olfaction, et aussi la gestuelle inconsciente. Mais bien sûr, ce qui est encore mieux, c'est le code conscient qu'on appelle la langue des signes ; elle peut leur être enseignée et leur être parlée par les parents qui la savent.

Un enfant qui a, depuis sa naissance, la communication avec ses parents sera beaucoup plus adaptable à la société, surtout à la société des sourds qui ont la langue des signes, en même temps qu'il sera en sécurité dans la société des entendants. On verra ensuite, à quatre ans, cinq ans, comment l'éduquer à cette autre langue, la deuxième (la première étant la langue des signes), la langue verbale de son pays — chez nous le français — parlée et lue sur les lèvres.

QUESTION : *Un garçon de trois ans, et un autre de neuf mois, le père arabe, la mère française. Le père envisage de faire procéder à la circoncision de ses fils. La mère considère la circoncision comme une mutilation. Que pensez-vous de ce problème ?*

F. D. : Ce n'est pas du tout un problème en soi. C'est un problème pour la mère. C'est peut-être aussi un problème pour le père, s'il ne veut pas que cette circoncision soit rituelle, s'il veut une circoncision pour la circoncision, ce qui est stupide.

Disons que la circoncision pour la circoncision, par un chirurgien quelconque, ce n'est ni bon ni mauvais. Mais ici, c'est le vœu du papa ; et, pour l'enfant de neuf mois, c'est déjà tard.

En fait, le bon âge pour n'importe quelle circoncision c'est huit jours, quinze jours. Ou alors, le moment où ce serait dangereux de garder le prépuce parce que l'enfant est en train de faire infection sur infection du fait d'un phimosis. Il faut bien le circoncire, et lui expliquer pourquoi : « Tu risques d'avoir une maladie qui abîme ce bourgeon important pour la fleur de la vie (le gland). » On peut raconter cela, c'est vrai, et c'est poétiquement dit.

La circoncision est nécessaire dans les cas de danger, ou dans le cas d'une croyance, mais alors qu'elle ne soit pas faite pour dire que c'est fait, sans que cela ait été ritualisé. Cela n'aurait pas de sens. Si ce père veut que cet enfant soit circoncis pour que les autres ne disent pas qu'il ne l'est pas, il faut que la mère l'aide à dire : « Non, pas comme ça, en cachette, mais de façon rituelle, avec l'entourage et les usages de cette religion où la circoncision est un signe de promotion virile, de promotion humanisante. » La circoncision n'est pas du tout une mutilation, mais elle peut l'être si c'est conçu comme une hypocrisie, pour que les autres ne reprochent pas au père de ne pas avoir observé un usage qu'il trouve absurde, auquel il ne croit plus.

Pour les Juifs, c'est pareil si l'accoucheur circoncit l'enfant pour que ce soit dit qu'il est circoncis. Cela se paiera à la deuxième ou à la troisième génération.

Dès qu'un enfant est né, si le père ou la mère veulent, par foi, le mettre dans les règles et les secours d'une religion qui donnent sens à leur vie, il faut qu'ils se disent : « Et si je mourais demain, qui le prendrait en charge ? » Dès qu'un être humain est né, notre devoir est de lui assurer des relais pour que d'autres personnes le prennent en tutelle et en responsabilité dans le mode d'éducation que les parents, les premiers responsables, veulent lui donner. C'est le rôle des parrains et marraines.

On ne peut pas donner d'éducation à un enfant circoncis pour « faire semblant ». Cela ne veut rien dire. Je ne sais pas si je réponds à votre question, mais je pense que l'enfant doit être instruit de ce qu'est la circoncision, et que c'est un honneur qui lui est fait. À partir de cette marque à son sexe, il est inscrit en valeur d'humain masculin dans une société qui a une éthique précise pour éduquer ses ressortissants, une éthique à visée spirituelle et pas seulement une morale de comportements.

Toutes les mères considèrent la circoncision comme une mutilation ; ça, c'est le problème des mères. Car non seulement la circoncision précoce n'est pas une mutilation, mais c'est une intensité donnée au désir parce que, en ne protégeant pas le gland par le prépuce, il est de ce fait beaucoup plus sensibilisé. Par la suite, la muqueuse se durcit et ce n'est plus aussi sensible. Mais au début, c'est vraiment une libération de la protection de ce gland, grâce à quoi cela permet à cet être humain de se sentir promotionné, sensibilisé du côté des mâles de son groupe familial et social. Si la mère ne veut pas que son garçon soit marqué du désir du père (qui veut que son fils n'appartienne pas qu'à lui et à sa mère, mais qu'il appartienne à Dieu), c'est qu'elle pense un peu comme une chienne à son chiot, une chatte à son chaton. Cette mère veut garder son enfant pour elle, le protéger de tout mal physique sans comprendre le rôle langagier, symbolique, de cette épreuve humanisante pour son fils. Il est tout à fait important de faire comprendre cela aux gens.

Dans la religion chrétienne, Jésus de Nazareth a apporté cette notion nouvelle : il ne s'agit pas de marquer le corps, il s'agit de marquer le cœur. Il a parlé de la circoncision du cœur[27]. Une marque intérieure, que personne ne peut voir, et cela évite toute hypocrisie. Ce n'est pas parce qu'on est circoncis de la verge qu'on l'est du cœur. Ce qui est important, c'est d'être circoncis du cœur, dans le cœur, c'est d'être sans protection infantilisante (comme par la maman quand on est petit). L'organe cœur est symbolique des pulsions maîtrisées de l'homme soumis librement à une loi au nom de son Dieu transcendant dont il inscrit la marque au lieu même de ses amours humaines, le cœur. Voilà ce que cela veut dire.

Alors, qu'elle se débrouille, cette pauvre maman, à qui je réponds avec mon jargon de psychanalyste. Qu'elle réfléchisse avec le père de l'enfant au sens d'honneur et de promotion que possède le rituel de la circoncision pour leur fils, mais qu'ils renoncent à une circoncision dédiée au qu'en-dira-t-on, ou aux parents à héritage…

Peut-être serait-ce intéressant s'il y a ici des femmes musulmanes qui ont des enfants et qui sont déjà un peu dans l'ethnie française, qu'elles soutiennent cet honneur d'appartenir à la religion de leur père, de leur grand-père, et qu'elles aident les autres femmes à ne pas se mettre à hurler : « On abîme nos enfants. » Qu'elles comprennent, et qu'elles donnent valeur humanisante à ce rituel, très symbolique pour l'enfant, sa famille et l'entourage social présent autour de lui ce jour-là.

QUESTION : *Est-ce qu'en donnant la sucette à un enfant on assouvit trop ses désirs, est-ce qu'on lui crée des besoins ?*

F. D. : Oui, c'est vrai, on assouvit le désir oral, le désir passif de la bouche à téter le téton. C'est une illusion de téter. C'est pour avoir la paix, parce que cela ennuie les parents d'entendre crier l'enfant. Bien souvent, ils n'ont pas le temps de lui parler, alors ils l'empêchent de dire sa peine en lui donnant l'illusion qu'il est au sein. C'est ennuyeux parce que cela l'empêche de chercher une solution, ne serait-ce que celle de sucer son pouce, ce qui est déjà mieux qu'une sucette, de sucer son poing, ou quelque chose d'autre. Un enfant, vous le savez, met tout à la bouche. Et, quand il met à la bouche, il met aussi au nez, aux oreilles, aux yeux. C'est une façon d'intégrer tout.

De quoi a-t-il besoin à ce moment-là ? D'un aliment symbolique, c'est-à-dire d'un élément auditif, visuel, langagier, qui lui dise le goût et mette des mots sur ce qu'il porte à la bouche. Par exemple, si c'est le hochet côté métal : « C'est le hochet, tu vois, c'est froid parce que c'est le côté métal. » Si, à un autre moment, il prend le côté ivoire : « C'est moins froid que le côté métal. » Dire simplement cela, si on le voit ; si on ne le voit pas, tant pis. Ou, autre exemple : « Tiens, tu as pris ta couverture (ou ce petit linge), comme quand je te mets à téter, et tu crois, parce que tu as la couverture et que tu la mets sous ton nez, que tu es avec moi et que tu es en train de téter. C'est dommage, parce que ce n'est pas vrai. » Alors, l'enfant, très intéressé par ce qu'on lui dit, ne s'occupe plus de sa couverture, mais de qui lui parle.

Le véritable élément transitionnel pour l'enfant, ce sont les mots[28], mais il a des objets de remplacement de la présence maternelle, remplacement de l'objet partiel mamelon, lorsqu'on ne lui a pas donné les mots à temps sur ses autres perceptions de la présence maternelle. Ce n'est pas bien grave ; beaucoup de gens sont même devenus de très grands savants grâce au fait qu'ils suçaient leur pouce, tel Einstein, qui paraissait un arriéré suçant son pouce jusqu'à onze ans. Ses professeurs disaient : « Il ne fera jamais rien, le pauvre petit. » C'était un « pauvre petit » méditant continuellement en suçant son pouce, car le suçage de pouce entraîne l'enfant à la méditation. Celui-ci a médité jusqu'à devenir mathématicien, mais il y en a beaucoup qui n'arrivent pas jusque-là.

QUESTION : *Que dire d'un enfant de cinq ans, qui est autonome, qui se sépare de sa mère dans différentes circonstances (copains, école, jeux extérieurs), et qui, à d'autres moments, s'accroche à elle physiquement (caresses prolongées, câlins) et refuse de s'en séparer ? Le pédiatre a répondu : « Manque de confiance en lui, laissez faire ses débordements affectifs. »*

F. D. : Mais au nom de quoi cette mère obéit-elle à ce médecin ? Et pourquoi faudrait-il qu'elle obéisse à ce que moi, je lui dirais ? Qu'est-ce qu'elle a envie de faire ? Est-ce qu'elle est contente quand il vient se frotter contre elle ? Alors, tant pis pour eux deux, ils sont encore dans ces moments innocemment incestueux, mais cela changera. C'est un enfant qui est déjà très évolué mais il a comme un regret, et peut-être que sa mère en éprouve aussi : « Il n'y a plus d'enfants, c'est terrible ! », alors de temps en temps, il va la consoler : « Mais oui, il y a encore un enfant. »

Il y a des enfants très évolués et qui, de temps en temps, font la part du feu : « Il faut bien lui donner du câlin, la pauvre mère ! » Et la mère croit que c'est l'enfant qui le veut, en fait c'est elle aussi. Mais ici, je ne sais pas pourquoi son médecin s'identifie à l'enfant ; peut-être lui-même n'a-t-il pas assez eu de câlins ? Il dit à la mère : « Laissez faire. » Pourquoi pas ? Mais aussi pourquoi ?

QUESTION : *Un enfant de dix ans dont la mère est morte. Toute la famille refuse d'en parler, et entre eux, et avec l'enfant. L'enfant sort de la pièce lorsqu'on essaie d'aborder ce sujet. Comment lui parler en tant que professionnelle ?*

F. D. : La personne qui pose la question est-elle l'institutrice de l'enfant ?

RÉPONSE : *Non, psychologue.*

F. D. : Vous êtes psychologue, et on vous a demandé de vous en occuper ? Qui vous a demandé de vous occuper de l'enfant ?

RÉPONSE : *L'enfant m'avait été amené en consultation avant les vacances pour d'autres problèmes et je l'ai revu après.*

F. D. : Eh bien, c'est lui qui va vous en parler, même s'il se tait. Laissez-le longtemps se taire, puisque sa mère s'est tue pour lui ; il va commencer par faire un transfert de personne muette à lui, alors soyez muette. En effet, au début, l'enfant transfère ce qu'il y a autour de lui. Comme en ce moment il a une mère muette

146

pour lui, il va être muet pour vous afin d'entrer en lui en relation avec sa mère de façon symbolique et spirituelle. Ne cherchez pas à le questionner. Dites-lui simplement que vous êtes chargée par telle ou telle personne de vous occuper de lui, parce qu'on pense que la vie est difficile pour lui en ce moment depuis ce qui s'est passé — sans lui dire quoi, il le sait — et que, s'il le veut, vous voulez bien l'écouter régulièrement, s'il ne le veut pas, il peut vous le faire savoir.

Moi, je me sers beaucoup du paiement symbolique parce que c'est grâce à cela qu'on voit l'enfant signifier le refus de sa séance. D'ailleurs, on le félicite de ne pas la vouloir : « Tu ne veux pas ta séance, tu as raison ; quand tu m'apportes ton paiement (le ticket périmé de métro, un caillou, ou un faux timbre qu'il a fabriqué), je sais que tu veux ta séance. Aujourd'hui c'est non. »

C'est intéressant, parce qu'il y a des enfants qui veulent leur séance, qui ne disent pas un mot pendant dix, quinze séances, mais qui viennent toujours à l'heure, seuls, en apportant leur paiement symbolique[29]. Et ces séances de silence total, c'est formidable pour eux si le psychologue peut le supporter en sachant que c'est grâce au silence qu'ils font leur deuil.

Dans le cas que vous citez, il est possible que ce soit ça. C'est quand vous parlez, vous, devant lui, de la mort de sa mère qu'il s'en va ? Oui ? Avec vous, il en parlera intérieurement, sans vous en dire un mot, il revivra tout ce qu'il a à vivre, et peu à peu il vous dira un rêve, ou il dessinera quelque chose. Mais en attendant, respectez ce deuil, qui ne peut se vivre pour l'instant que dans le silence puisque, déjà, les autres de sa famille ne veulent pas lui en parler, ou ne le peuvent pas.

QUESTION : *Comment une mère peut-elle parler à sa fille de quatre ans de l'incarcération de son mari pour une période de cinq à dix ans ?*

F. D. : Son mari est-il le père de l'enfant ? Oui ? Alors, elle le sait. Cela ne lui a pas été dit en mots, mais elle le sait.

RÉPONSE : *On a dit à l'enfant qu'il était parti.*

F. D. : On lui a dit qu'il était parti mais l'enfant sait bien qu'on lui a menti. La mère n'a qu'à dire tout simplement : « Je t'ai dit que ton père est parti, tu sais bien que ce n'est pas vrai. Si tu sais ce qui lui est arrivé, dis-moi ce que tu crois. Je te dirai peu à peu la vérité. » Elle peut très bien ajouter : « Tu étais trop petite, alors j'ai pensé que je ne pouvais pas t'expliquer, mais je suis sûre que tu sais quelque chose, et que tu n'oses pas non plus m'en parler. On est toutes les deux à ne pas oser parler, on dit que papa est parti. Moi, je dis à tout le monde que mon mari est parti, mais avec toi, si tu veux, on en parlera pour de vrai. » L'enfant ne dira rien, et puis, deux ou trois jours après, elle dira quelque chose, ou fera un dessin avec des barreaux partout, et un petit bonhomme dedans. Sa mère dira : « Oui, tu as raison, c'est bien là qu'il est.

— Pourquoi ?

— Eh bien, parce qu'il a fait une bêtise. » Elle lui dira alors la bêtise qu'il a faite. Et surtout, la petite pourra aller à la prison voir son père, ou lui écrire.

Ce qui est indispensable aux prisonniers, c'est que leur enfant les aime dans l'épreuve qui est la leur. C'est cela qui fait que leur prison peut servir vraiment à les réhabiliter, parce que ce sont toujours des gens qui ont eu un manque d'éducation ou un fléchissement de maîtrise d'eux-mêmes et qui, du fait que leur enfant les aime, se sentent responsables. Quand ils voient que leurs enfants les aiment dans les suites d'un acte répréhensible, ils se sentent responsables, mais plus coupables, et c'est cela qui humanise une déficience de conduite : c'est en assumer la responsabilité, sans être écrasé de culpabilité, et c'est l'amour de leur enfant qui les aide le plus.

J'ai aidé ainsi beaucoup d'enfants de prison-niers. Au début, on me le cachait — le père était parti, son métier l'avait appelé au loin —, jusqu'au moment où la mère m'apprenait qu'il était en prison.

Les enfants le savent. Ils vous le disent dans les dessins sans savoir qu'ils vous le disent. Ils le savent inconsciemment. Il vaut beaucoup mieux qu'il y ait des mots dessus. Ils ont d'ailleurs un trésor d'inventions pour excuser leurs parents, par exemple ils mettent cela sur le dos du grand-père qui n'a pas élevé son enfant. Ce qui est souvent le cas d'ailleurs : ce sont souvent des hommes qui n'ont pas eu de père au moment de la socialisation.

C'est vrai que les gens sont quelquefois pris de court : ils ne peuvent pas le dire sur le moment à l'enfant parce qu'ils sont déjà eux-mêmes trop émus. Il faut donc qu'ils rattrapent cela en disant : « Tu étais trop petit ; maintenant, je comprends que tu le sais bien ; je ne vais pas continuer à te dire toujours n'importe quoi, cela peut être long », etc.

Sachez-le : à cinq ans un enfant comprend tout ! Il comprend très bien les mots.

Il peut alors y avoir un moment de révolte contre le père : « Il est méchant, il est vilain.

— Tu crois, mais en grandissant tu comprendras peut-être mieux la situation. Tu ne t'es pas trompé en prenant ce père-là. » (D'autant plus s'il est le vrai père, car si c'était un amant de la mère, ce ne serait pas la même chose.)

Ce n'est pas « méchant ». On peut être un fieffé pervers et avoir très bien fait des enfants. Je ne sais pas l'acte que cet homme a commis, mais il ne faut pas reprendre des mots d'enfants. Il faut lui dire : « Écoute, ce qu'a fait ton père, ce sont des choses de grande personne, tu peux difficilement comprendre, mais je t'interdis de dire que ton père est vilain et méchant. Il est tombé dans un piège, le sien, mais il n'est pas méchant pour ça. »

Il faut absolument refuser des mots de valeur : méchant ou vilain. On entend souvent les enfants dire : « La maman est vilaine. » On peut répondre : « Écoute, ne la traite pas comme une guenon ; c'est une femme : les guenons sont vilaines, mais les mamans, non. »

C'est vrai, « vilain », « méchant », ce sont des mots d'esthétique. Qu'est-ce que cela veut dire, « méchant » ? « Chien méchant, attention » ? Cela n'a pas de sens. Il faut dire à l'enfant : « Il y a la loi, et ton père a oublié la loi. »

Les enfants aident énormément ; ils sont aussi malins que nous, aussi aimants, donc ils comprennent. En quelque sorte ils ont choisi leur destin, parfois difficile. Il faut leur dire : « Tu n'as pas choisi quelque chose de facile en naissant, et cela prouve que tu es à la hauteur ; on va essayer d'y arriver. »

QUESTION : *Vous avez parlé de la souffrance en disant qu'il fallait l'oublier pour que renaisse le désir.*

F. D. : Non, je n'ai pas dit l'oublier, mais la dépasser. Pour cela, il faut parler. Quand on parle la souffrance, les pulsions en jeu s'apaisent du fait de la rencontre de quelqu'un qui écoute. De ce fait, le désir ne cale plus devant une impossibilité de se satisfaire autrement que dans la morbidité de la souffrance, car se badigeonner le nombril avec sa souffrance, c'est une sorte de masturbation, stérile comme toute masturbation. On se complaît dans sa souffrance si on ne la dit pas à quelqu'un qui vous en débarrasse. C'est difficile à comprendre : le désir se satisfait tout autant, mais à moindre bénéfice pour l'individu et pour la société, dans le masochisme de la souffrance que dans le plaisir partagé avec les autres (ou dans la peine partagée donc humanisée par le langage).

Il est évident que lorsque quelqu'un gémit sans arrêt sur une souffrance qu'il a, ou qu'on veut la lui taire pour qu'il ne puisse pas en parler — comme par exemple les enfants myopathes ou les enfants qui naissent infirmes (l'épilepsie, c'est encore un autre problème) —, eh bien là, il n'y a qu'une façon de faire, c'est de lui parler vrai et d'écouter ce qu'il veut ou peut en dire de son point de vue.

À l'enfant myopathe, dont le pronostic actuel est un pronostic fatal d'aggravation du mal, il faut dire tout de suite : « Tu as une infirmité qui peut devenir de plus en plus grave ; toi seul peux ressentir ce que tu ressens, et peut-être freiner l'évolution de ce mal, peut-être… et ce n'est pas certain. »

L'important, c'est de rester en communication. À partir du moment où l'on dit à quelqu'un quelle est son infirmité, il déploie un trésor de surcompensation pour rester sujet, au lieu d'être individu charnel de plus en plus objet des autres. Il y a toujours une possibilité de joie quand il y a communication avec les autres, les autres qui disent vrai, pas ceux qui font semblant : « mais oui, cela ira mieux demain », alors qu'on sait que ce n'est pas vrai.

Peut-être, d'ici quelques années, aura-t-on trouvé le moyen de guérir ou d'améliorer l'évolution des myopathes. C'est possible, et c'est pour cela qu'il est si important qu'ils puissent parler de leurs symptômes, et parler aussi des moments de variation du ressenti de leurs symptômes suivant les émois qu'ils éprouvent. Ils aident ainsi à l'observation concernant cette maladie. Il faut leur dire : « Tu n'es pas seul. » Qu'ils sachent qu'ils ne sont pas seuls dans leur épreuve, qu'il y en a d'autres, et qu'ils peuvent s'entraider les uns les autres.

Aussi est-il bon qu'ils soient avec d'autres ayant les mêmes troubles qu'eux, contrairement à ce que l'on croit, qu'il faut les élever à part et pas avec les infirmes. Ils sont au contraire moins malheureux s'ils sont avec d'autres comme eux, à condition que l'on continue à les visiter, et qu'on ne leur cache pas qu'ils sont infirmes. On peut ainsi leur donner tout le plaisir qu'il y a dans la rencontre avec autrui, car ils ont de grands plaisirs, auditifs, visuels, imaginaires. De tout cela, on peut parler avec eux. Il y a une quinzaine d'années est sorti sans grand succès un merveilleux film sur des enfants infirmes moteurs cérébraux, dont le titre était : « Une infinie tendresse[30] ».

QUESTION : *L'enfant face à la maladie grave ?*

F. D. : Justement, il faut le lui dire tout de suite, lui dire : « Tout ce que tu ressens, tu peux m'en parler ; c'est toi qui sais comment cela va ; il faut que tu renseignes le médecin, et s'il n'a pas le temps de t'écouter, moi je le ferai. » Il faut au moins qu'il ait parlé à quelqu'un.

Je suis convaincue que, face à sa propre mort, la personne qui doit mourir sait qu'elle est bientôt en fin de vie. Voyez le livre de Ginette Raimbault[31] : les enfants sont ennuyés pour leurs parents. Beaucoup disent : « Dis à maman, elle ne veut pas croire, mais la semaine prochaine, je ne serai pas là quand elle reviendra. » Pour eux, cela fait partie de leur bonne vie de s'en aller. Nous ne savons pas ce que c'est que la mort, mais l'enfant ne fait pas tout ce pathos autour de sa mort comme nous qui trouvons qu'une mort prématurée est dramatique. Pour cet enfant qui va mourir, elle n'est pas prématurée, elle fait partie d'une évolution qu'il ressent, et il y a toujours un espoir d'après. Nous ne savons pas ce qu'est cet espoir d'après pour l'enfant, mais il en parle : « Quand je serai mort, je ferai telle ou telle chose. » Mais pourquoi pas ? Laissons-le imaginer. Ne parlons pas, écoutons-le et acquiesçons : « C'est toi qui sais. »

QUESTION : *Et lorsqu'il s'agit d'une personne de trente ans qui ne veut pas savoir qu'elle a une sclérose en plaques ?*

F. D. : Elle a peut-être bien raison car il y a des scléroses en plaques qui ont des rémissions tellement longues que les gens risquent de mourir écrasés dans la rue plutôt que de leur sclérose en plaques. À trente ans, c'est complètement différent d'un enfant. Moi, je vous parle des enfants petits, dont nous savons, étant donné les connaissances scientifiques, qu'en effet ils sont atteints de quelque chose qu'on ne sait pas encore guérir. Mais ces enfants peuvent contribuer à affiner l'observation parce qu'ils peuvent parler de leur état. Et s'ils ne veulent pas en parler : « Tu as bien raison de ne pas en parler. » Mais il ne faut pas leur cacher que nous savons l'épreuve dans laquelle ils sont. Et s'ils voient les parents pleurer, que les parents leur disent pourquoi ils pleurent : « Je pleure parce que tu as une maladie qui m'inquiète, qu'on ne sait pas encore guérir » ; à ce moment-là, ce sont les enfants qui consolent leurs parents.

Il ne faut pas hésiter, vous qui êtes des infirmières, qui soignez cès enfants-là, à leur demander : « Comment comprends-tu cela ? Qu'est-ce qu'il faut dire à ta mère ? » Et c'est lui qui vous le dira. Ce sont les enfants qui nous expliquent.

C'était le cas pour un enfant, dont l'infirmière est venue me dire : « Cet enfant est en train de mourir, la mère est dans un état épouvantable. Qu'est-ce qu'il faut lui dire, faut-il la prévenir ? Elle va arriver dans huit jours, l'enfant sera mort, elle n'a pas l'air de s'en douter, elle voulait même le transporter d'hôpital en hôpital, trouver un autre médecin… »

Je lui ai dit : « Écoutez, moi, je ne sais pas, mais l'enfant sait. Il connaît sa mère. Demandez-lui : "Qu'est-ce que tu crois qu'il faut dire à ta mère sur l'évolution de ta maladie ?" » Et l'enfant lui a répondu : « Elle ne peut pas supporter que je vais mourir ; alors, tu feras ce que tu pourras. »

En effet, elle a fait ce qu'elle a pu, cette infirmière, c'est-à-dire pas grand-chose avec cette mère qui s'est trouvée devant le fait accompli de son enfant mort. Il avait dit : « Tu diras à maman que je l'aime même quand je suis mort » (« quand je suis mort », alors qu'il allait mourir peu de temps après).

Nous ne savons pas, nous qui sommes dans le vivant, nous nous projetons, et c'est épouvantable pour nous, mais pour celui qui a à le vivre... Cela fait partie du vivre que de mourir pour chacun de nous, et c'est beaucoup moins angoissant chez les enfants que chez les adultes, parce qu'ils n'ont pas de responsabilité. Ils en ont un peu, comme celui-là avait la responsabilité de sa mère. Il avait pourtant son père, mais il ne s'inquiétait pas du tout pour lui. Il disait « Mon père, cela ne fait rien. » C'était sa mère dont il sentait le chagrin. Écoutons les enfants.

QUESTION : *Avec les enfants mongoliens, comment doit-on faire ?*

F. D. : Il faut le leur dire tout de suite, dès leur naissance. Ainsi, cet enfant mongolien, un des premiers que j'ai soigné, et qui s'en sort actuellement : il a été averti dès sa naissance de son anomalie génétique. Et maintenant, cela essaime autour parce que la mère et le père ont su aider les médecins, et l'enfant assume lui-même sa trisomie.

Cette femme m'avait écrit de la clinique en me disant : « Depuis la naissance de ma fille, je pleure sans arrêt, je ne sais que faire depuis trois jours, elle est née trisomique 21. » J'ai tout de suite répondu : « Dites à votre fille pourquoi vous pleurez, qu'elle est trisomique 21, qu'elle n'est pas comme d'autres enfants dont on sait comment les élever. Employez le mot "anomalie génétique" et dites-lui que vous pleurez parce que cette anomalie fait que vous ne savez pas comment vous pourrez l'élever et que vous avez peur qu'elle soit malheureuse. »

Les parents ont été tout à fait bouleversés par ma lettre. Ils étaient encore à la clinique. Ils se sont dit : « Qu'est-ce qu'on risque ? On va lui dire. » Et ils ont vu le sourire extraordinaire de ce bébé de cinq jours, et à partir de là, il y a eu une communication incroyable avec cette enfant, qui est d'une intelligence !

Ils habitent la province ; j'ai vu cette enfant une ou deux fois depuis. Elle est mongolienne, très mongolienne d'aspect, mais tout à fait active, plus dynamique et plus vivante que beaucoup d'enfants qui ne sont pas trisomiques 21. Et chaque fois qu'il y a une difficulté, sa mère lui dit : « Toi tu sais, fais-moi comprendre ce qu'il faut que je fasse pour toi. » C'est tout. Il y a une confiance totale.

Plus tard, la petite a été mise en maternelle, elle avait envie d'être avec d'autres enfants. La mère avait trouvé une petite école dans laquelle on l'avait acceptée, une espèce de crèche pour grands enfants ; et elle, naine au milieu des autres, comme beaucoup de mongoliens qui ne grandissent pas.

Un jour, une dame a dit : « Elle a tout de même une drôle de tête, cette petite. » Elle avait à ce moment-là vingt-six, vingt-sept mois, elle parlait mal, mais elle est allée vers cette femme, et lui a baragouiné : « Je suis trisomie 21. »

Et la dame, surprise : « Quoi, qu'est-ce qu'elle me dit ?

— Elle vous dit que c'est parce qu'elle est mongolienne, trisomique 21, a repris la maîtresse.

— Mais comment ? Et elle le sait ! »

J'ai donc eu l'occasion de voir cette enfant deux fois. Ces parents sont venus à la Maison Verte quand elle avait deux ans et demi, la mère étant enceinte d'un autre enfant. Le père m'a dit : « Le médecin veut absolument que nous fassions une amniocentèse pour savoir si cet enfant sera mongolien, j'ai eu une scène épouvantable avec lui, et je lui ai dit que si ce doit être un mongolien, cela le sera. Nous avons tellement de joie avec cette fille que, même si le second doit être mongolien, je ne veux pas avorter cet enfant. Et le médecin m'a répondu : "Dans ce cas, c'est moi qui refuse de vous faire l'amniocentèse parce que, si je la fais, c'est pour que vous ne laissiez pas naître un enfant mongolien." »

Un enfant mongolien, on sait très bien ce que c'est, on sait que c'est une anomalie génétique qui fait qu'il y a un acide aminé dont la synthèse ne se fait pas (un peu comme les diabétiques ne font pas la synthèse du sucre) et à cause de cela, il y a vieillissement des cellules nobles du cerveau, un vieillissement beaucoup plus rapide de ces individus humains sur le plan charnel. Mais leur esprit — le sujet — est quelquefois lumineux, intelligent, bon, très intéressant. Et c'était le cas de cette enfant.

Finalement, ils n'ont pas fait d'amniocentèse. Et quand le fœtus avait sept mois, la petite a demandé à son père : « Le bébé que maman

attend, est-ce qu'il sera comme moi ? » Le père a
répondu : « Je ne sais pas », et il n'a plus rien
dit. Ils sont allés à l'hôpital pour l'échographie
et quand ils sont revenus, la petite a pris son
père à part : « Qu'est-ce qu'il a dit, le docteur ?
Est-ce qu'il sera comme moi ?

— Non, il ne sera pas mongolien, il ne sera
pas trisomique 21, et c'est un garçon.

— Un garçon, c'est bien, mais c'est triste
qu'il ne soit pas comme moi.

— Oui, tu te sentiras isolée. »

Elle n'a plus rien dit. Quand le petit frère est
né, elle était émue, elle s'est beaucoup intéressée à lui.

Je l'ai revue, le petit frère avait dix-huit
mois, et elle avait la même taille que lui. Elle
avait trois ans et demi, quatre ans, mais elle
était restée petite. En effet, cela fait partie du
mongolisme de ne pas se développer en taille.
Mais j'avais remarqué que la mère était très
attentionnée à cette fille, presque trop, plus
qu'à son fils pour qui elle n'avait pas le même
intérêt maternel. Peut-être pour que sa fille ne
souffre pas ? Alors, j'ai dit à l'enfant : « Écoute,
je trouve que ta mère fait trop attention à toi.
Ton frère est aussi intéressant que toi, bien
qu'il ne soit pas mongolien. Je ne sais pas si

c'est pour ça que tu restes petite. En effet, pour beaucoup d'enfants, être trisomique 21 les empêche de grandir ; mais toi, je vois que tu as tellement envie de prendre la place de ton frère que c'est peut-être aussi cela qui t'empêche de grandir, pour être de deux ans de moins que tu n'as. » Elle m'a regardée avec un œil noir : « Je te déteste », et elle est partie.

La mère m'a écrit trois mois plus tard : « Elle a changé trois fois de pointure de chaussures, et elle a complètement rattrapé la taille de son âge pendant les quatre mois d'été. » Est-ce le fait de cette vérité que j'avais soulevée, le désir non dit mais agissant de prendre, en taille (âge) et corps (lieu), la place de son jeune frère de deux ans ?

La mère poursuivait : « Comme vous aviez raison ; j'ai réfléchi avec mon mari en revenant : c'est vrai que, quand le petit fait quelque chose, c'est naturel qu'il le fasse, tandis qu'elle, quand elle fait quelque chose, tout de suite, nous en faisons tout un plat. » Ils ont changé là-dessus, et cela a été beaucoup mieux.

Il y a eu autre chose d'intéressant et là aussi, c'est une leçon. Elle était donc en première classe d'une petite école privée qui l'avait accep-tée. Mais la maîtresse de la deuxième classe ne voulait pas la prendre l'année suivante. Elle avait dit : « Moi, je ne veux pas d'une tête comme ça dans ma classe ; cela me lève le cœur des enfants comme ça. » La mère en était bouleversée. J'ai dit à la mère : « Vous en avez de la chance qu'elle l'ai dit, là où d'autres auraient réagi de façon hypocrite. » Et à l'enfant : « Ta mère et toi, vous avez eu de la chance que cette maîtresse ait dit qu'elle ne voulait pas de toi, parce que tu es trisomique. Toi, tu le sais, tu n'es pas comme les autres enfants, et c'est à toi de te faire ta place en te faisant aimer. Tu n'y arriveras pas avec celle-là, tant pis pour elle. Ta mère trouvera bien une autre école. » En effet, elle a trouvé une autre école privée.

Mais entre-temps, ce que j'avais dit à cette enfant à Pâques avait porté. Comment a-t-elle fait ? Quoi qu'elle ait fait, la maîtresse de la seconde classe a dit : « Vous savez, j'ai observé cette enfant en récréation, elle est vraiment étonnante, et puis attachante, elle n'en veut à personne quand elle est agressée, elle entre toujours dans le groupe pour y être associée, et peu à peu tous l'intègrent. Elle est même un peu leader. Moi, je la veux bien ; j'ai changé d'avis maintenant, je veux bien prendre votre fille, si vous, vous voulez, et je m'excuse de ce que je vous avais dit. »

À quoi la mère a répondu : « Vous avez eu tout à fait raison, et je vous remercie de l'avoir dit. Cela nous a beaucoup aidés, et cela a aidé ma fille à accepter qu'il y ait des gens qui ne veulent pas d'elle. »

C'est souvent le cas : les gens les plus résistants, si on accepte qu'ils disent leur résistance, on peut travailler avec. Je vous ai parlé de tout cela à cause de l'infirmité, mais cela peut aider à comprendre une marginalité d'apparence comme aussi le problème du racisme. C'est important le racisme, les enfants ont à en souffrir. Il ne faut pas dire que ce n'est pas vrai, il faut leur dire la vérité. Il ne faut pas dire : « Tu as à remonter un handicap », il faut leur expliquer : « Tu es noir », ou : « Tu es métis, et il y a des classes d'enfants qui vont te le reprocher. Tu n'as, toi, qu'à te faire apprécier, et ils verront qu'ils se sont trompés, et qu'ils sont bêtes. »

C'est comme cela que vous aidez un enfant. Vous me direz : « À quoi cela sert-il ? » Mais parce que c'est sur la vérité que l'on construit, ce n'est pas sur l'hypocrisie. Or, c'est de l'hypocrisie de faire semblant de croire que les enfants vont s'intégrer, simplement parce que la maîtresse va y aider. Pas du tout. Il faut parler du problème du racisme *urbi et orbi* dans une classe, même de tout-petits. Mettre des mots justes sur ce que l'enfant vit.

Un autre exemple, à propos des enfants d'une pouponnière de l'Assistance publique (la DDASS comme on dit maintenant) où ils sont tous abandonnés[32]. Ils vont à la maternelle de l'endroit. Un jour, l'un de ceux dont je m'occupais, me dit : « Tous les enfants sont contre nous ; quand le car de la pouponnière arrive, ils nous attendent pour nous tomber dessus. » Il y avait une lutte entre le petit groupe « pouponnière » et le groupe des enfants déjà arrivés, ceux que leurs parents conduisaient à l'école.

Cet enfant était en fin de cure avec moi, il avait trois ans. On me l'avait amené pour soi-disant psychose, mutisme, retard, etc. Cela venait de ce que son histoire ne lui avait pas été clarifiée car personne ne la savait. C'est lui qui la connaissait, et qui peu à peu l'a exprimée en séance.

Je réfléchissais avec lui : « C'est intéressant, ce que tu me dis là. Je me demande si les enfants de l'école ne sont pas jaloux des enfants de la pouponnière, parce que tu vois, eux, s'ils n'avaient pas leur papa et leur maman, ils ne pourraient pas vivre, alors que vous, vous êtes tous des enfants dont ils savent que vous n'avez pas de papa et de maman, et vous vivez très bien. Alors, peut-être que c'est ça. »

Il n'a pas répondu. Il a continué ses séances. De fait, c'est vrai, ils ne sont pas comme les autres, puisqu'on sait qu'ils sont des enfants sans parents, et dont certains d'entre eux vont être adoptés. Et cela se sait à l'école : « Untel n'est plus là, il a trouvé un papa et une maman. » Cela se dit comme ça à l'école.

L'enfant dont je parle a été lui-même adopté, et les parents adoptifs sont venus me voir pour savoir ce qui s'était passé, pour la suite de sa vie, comme ils étaient allés voir la maîtresse pour connaître son niveau, savoir ce qu'elle conseillait pour la scolarité, etc. Et la maîtresse leur a dit : « Vous savez, c'est extraordinaire cet enfant-là, au début il a dû être soigné parce qu'il était tellement instable, personne ne pouvait le garder à l'école, mais après, il est devenu vraiment le leader de la classe, et d'une sensibilité, d'une intelligence ! », ce dont la mère adoptive s'était d'ailleurs bien rendu compte. Et la maîtresse a ajouté : « J'ai eu beaucoup de chagrin quand il est parti. Figurez-vous que c'est la seule année où il n'y a pas eu d'histoires entre les enfants de la classe et ceux de la pouponnière. Eh bien, c'était grâce à lui. Je m'arrangeais, quand je pouvais, pour que les enfants n'arrivent pas ensemble. Je disais au chauffeur du car d'arriver trois minutes après pour que tout le monde soit dans la classe et qu'il n'y ait pas de bagarre. J'essayais de stabiliser la classe, lorsqu'un jour ce petit m'a dit : "Vous savez, madame, je crois que je sais pourquoi ils nous font la guerre, à nous enfants de la pouponnière.

— Ah, oui, pourquoi ?

— Je crois que c'est parce qu'ils sont jaloux." » Il avait répété ce que je lui avais dit, un ou deux mois avant.

Et la maîtresse a encore ajouté à la mère adoptive : « Vous auriez entendu une mouche voler. Les enfants se sont tus, un ange passait. Et plus jamais ils n'ont attaqué ceux de la pouponnière, même quand le car arrivait, et qu'ils n'étaient pas rentrés en classe. Toute l'année scolaire, il n'y a plus eu d'histoires, car c'était vrai : ces enfants étaient jaloux de ceux qui n'avaient pas besoin de papa-maman pour vivre heureux. C'est formidable ! »

Il faut arriver à comprendre cela : quand quelque chose est vrai, si c'est dit, cela libère du symptôme. Or, c'était bien un symptôme de jalousie : les enfants avec parents étaient jaloux de ceux qui n'en avaient pas, et qui vivaient très bien.

C'est la même chose pour tout enfant différent des autres, qu'il soit mongolien, chétif ou infirme : il se permet de bien vivre, ce n'est pas possible !

Voilà donc comment vous pouvez aider un enfant qui est marqué par une épreuve qui se voit. L'important, c'est ce qu'il vit, comment, lui, il aime les autres ; ce n'est pas du tout qu'il soit aimé. Il ne faut pas être « maso » pour autant, et ne pas se défendre de ceux qui font du mal. Mais sans pour cela se mettre à les détester, cela ne sert absolument à rien qu'à faire perdre de l'énergie. C'est la même chose pour quelqu'un d'infirme : il n'a pas d'énergie à perdre, alors qu'il n'en perde pas à ça. C'est cela qui est très important dans une éducation dynamique.

QUESTION : *Nous avons perdu une petite fille de quatre ans, accidentellement noyée. Que devons-nous dire aux enfants qui restent, deux aînées de douze et neuf ans très choquées par cet accident ?*

F. D. : Qui « restent » ? Elles continuent leur vie plutôt, ce n'est pas un reste.

Je ne crois pas qu'on puisse dire grand-chose. Elles le savent, c'est un accident. Il faut les laisser parler de tout ce qu'elles imaginent. C'est tout, on ne peut rien dire, et si l'une d'elles dit quelque chose en rapport avec la culpabilité : « Tu crois que si on avait été plus gentil avec elle… ? » simplement l'écouter.

Les gens se reprochent toujours. Les enfants font des rêves où ils se sentent coupables, des rêves où eux-mêmes sont peut-être l'agent de la mort. Ce sont des rêves tout à fait sains et normaux[33]. Vous allez comprendre pourquoi.

Dans nos rites de deuil, et dans tous les rites de deuil de toutes les ethnies, c'est pareil : quand quelqu'un est mort, on joue à être d'accord avec la mort. Nous, par exemple, nous mettons le cercueil en terre, et chacun qui aimait ce mort lui jette un peu de terre. Donc, il est d'accord, il l'enterre lui-même. C'est un rite de deuil, cela veut dire : « Je suis d'accord avec la mort. » On a l'air d'être sain quand on enterre quelqu'un et qu'on lui met une pelletée de terre : « Oui, je suis d'accord », alors qu'au contraire la personne qui aime dirait : « Ne le mettez pas dans la terre ! » On oblige les gens à faire un rite d'accord avec un destin cruel pour eux.

Et ceci se rêve souvent en étant soi-même comme responsable de la mort par son comportement. Et chez les enfants, cela se rêve sous forme de : « C'est à cause de moi. » Désir de puissance magique de maîtriser la vie, parce que la mort, c'est aussi la vie, il n'y a pas de vie sans mort, il n'y a pas de mort sans vie. C'est quelque chose autour de notre inconscient, qui veut être puissant sur les phénomènes de la vie et de la mort, qui voudrait au moins en être maître. C'est là une des explications de ces rêves très douloureux où l'on a l'air d'être l'agent de la mort de ceux qu'on aime le plus. C'est justement à cause de la souffrance due à cette mauvaise surprise à laquelle on ne s'attendait pas et que le destin nous a faite, et c'est tellement douloureux cette impuissance, qu'un rêve essaie de la combler en disant : « Non, non, c'est toi qui l'as voulu, tu es d'accord avec. »

C'est ainsi qu'il faudra rassurer ces deux filles de douze et neuf ans. La seule chose qu'on puisse leur dire, c'est que personne ne savait que cette petite fille avait fini de vivre, que c'est un accident qui a eu l'air pour nous de lui donner la mort, mais qu'en réalité elle avait fini de vivre dans son corps. Ce qui veut dire que nous ne savons pas ce que cela signifie par rapport à l'être. Toutes les religions y répondent d'une façon ou d'une autre. Selon leur foi, les parents répondront pour l'après-vie physique. Mais c'est tout ce que l'on peut dire. Devant un malheur, on est tous devant la même épreuve, chacun l'exprime d'une façon différente. Il importe que les enfants, si elles posent la question, puissent en parler.

Une manière aussi de faire le deuil, c'est de s'approprier les choses de l'autre. Il ne faut pas empêcher les enfants de choisir ce qu'elles veulent garder de leur frère ou sœur ; donc ne pas dire : « Non, non, il ne faut pas que tu prennes les choses de ta sœur, de ton frère », comme si c'était coupable d'en profiter. Au contraire, si les survivants peuvent profiter d'objets qu'avait cet enfant décédé, et qu'ils enviaient, il faut les en féliciter : « Elle est moins morte du fait que tu peux jouer avec les choses qu'elle avait » (ou : « que tu aimes les choses qu'elle avait ».) Il faut les soutenir dans cette incorporation des objets partiels, qui faisaient partie de la joie de leur sœur morte.

Tout cela doit vous étonner parce que c'est un peu contradictoire avec l'idée que ce serait coupable : « Ah, non, c'était à elle, on va le donner, vous n'allez pas jouer avec. » C'est une grosse erreur. Peut-être cela fait-il de la peine à la mère ou au père de voir la mort d'un enfant comme « profitant » aux autres. Mais c'est exactement comme chez l'adulte : il perd ses parents qui lui sont chers, mais il a un héritage (à moins qu'il n'aime pas le défunt, auquel cas sa mort l'indiffère ou le soulage). Quand il s'agit de ses propres parents, on aurait mieux aimé qu'ils vivent encore ; il n'empêche qu'on n'est pas mécontent qu'ils vous aient laissé du bien, qui représente de quoi vivre un peu mieux matériellement.

On en est content, on les remercie par-delà la mort de profiter de leur héritage. Pourquoi pas ? Les objets sont parfois porteurs d'amour.

C'est exactement la même chose pour les enfants, lorsqu'un frère ou une sœur meurt : ils se partagent ce qu'il ou elle a laissé pour que cela reste vivant de faire plaisir à des vivants, et ils s'en servent pour soutenir l'évolution et le jeu de leurs pulsions. La vie continue.

QUESTION : *Étant donné le peu de temps qu'ils passent au contact de la famille, et la réticence des parents à parler de la séparation, quelle doit-être l'attitude des travailleurs sociaux qui sont chargés d'enquêter, en cas de divorce, afin de donner leur avis sur la garde des enfants ?*

F. D. : Les travailleurs sociaux sont chargés de quoi ? D'enquêter, par le juge ?

RÉPONSE : *Oui.*

F. D. : Les enfants voient une personne étrangère qui vient dans la famille, et qui ne dit pas ce qu'elle vient faire ?

RÉPONSE : *Pas toujours.*

F. D. : Eh bien, c'est un tort. De quel droit vient-elle espionner dans une famille si elle n'est pas chargée par quelqu'un qui a le droit de l'en avoir chargée, et qu'elle est payée pour servir aussi bien la justice que la famille et chacun de ses membres ?

Il faut dire aux parents : « Je suis payée par le juge pour faire une enquête. » Et à l'enfant : « Tu ne sais pas ce que c'est que le juge. Le juge, c'est quelqu'un qui décide dans les choses graves. Tes parents ont en ce moment des difficultés graves entre eux, et ils pensent qu'ils vont peut-être se séparer. Cela s'appellera peut-être un divorce. Quand il y a divorce, c'est le juge qui doit décider avec les parents où vont aller les enfants, chez lequel des deux, pour le temps principal. (Car ce n'est pas la "garde", c'est "temps principal" qu'il faut dire, et "temps secondaire".) Le juge me paie pour arriver à savoir cela. Si tu as une opinion, tu me la dis, je ne la répéterai qu'au juge qui décidera. Qu'est-ce que tu aimerais ? Rester dans cet appartement, aller ailleurs ? »

Presque toujours, les enfants ne disent pas avec qui ils veulent aller si on ne leur pose pas la question. Si on leur pose la question, ils sont obligés de répondre ou le père ou la mère, mais si on leur dit : « Est-ce que tu veux rester ici, ou aller dans un autre endroit, changer d'école ? », il y en a qui diront : « Oui, je voudrais changer d'école. » Bon. C'est cela qui fera que le temps principal, le temps scolaire, sera avec tel parent, le père ou la mère. L'enfant n'a pas dit avec qui. Il a seulement dit qu'il serait content de changer d'école. Et cela veut dire que le climat dans lequel il est, dans son ensemble, ne lui plaît pas. Si au contraire, il dit qu'il veut rester à la maison, et à la même école : « Bon, on va voir si c'est possible avec les décisions du juge ; tu as bien fait de me le dire. » Et puis, c'est tout. Mais vous ne pouvez pas ne pas dire aux enfants. Sinon, vous n'êtes pas en droit d'intervenir. Et il faut le dire aux parents : « N'est-ce pas, madame, vous saviez que je devais venir aujourd'hui ? Et si vous ne le saviez pas, préparez vos enfants, prévenez-les, je reviendrai dans huit jours. » C'est très important de ne pas faire par surprise ou en cachette ces choses-là, si importantes.

Nous avons fait une enquête dans un lycée auprès de garçons et filles d'au moins dix-sept ans, enfants de parents divorcés. Cela a été rocambolesque, parce que la directrice, au lieu d'expliquer ce que nous venions faire, c'est-à-dire recevoir des conseils et des avis de ceux qui avaient souffert du divorce de leurs parents, leur a dit : « Ils viennent vous dire vos droits. » Or, nous venions leur demander ce qui les avait fait le plus souffrir dans le divorce, ce qu'ils pouvaient nous dire pour aider des enfants ayant l'âge qu'ils avaient à cette époque-là, et ce que la société pourrait faire pour qu'ils souffrent moins, si possible. Donc, c'étaient nous qui étions là pour une enquête, c'étaient nous les demandeurs[34].

Aussi, cela a été long pour que les jeunes comprennent le sens de notre présence et de notre demande, mais ceux qui ont compris nous ont dit des choses qui nous ont vraiment beaucoup intéressés.

Nous étions trois à faire cette enquête, d'une part dans un lycée de milieu cadre et, d'autre part, dans un lycée de milieu ouvrier. C'était très intéressant de voir la différence. Pour le milieu ouvrier, ce qui avait fait le plus souffrir les jeunes, c'était le déshonneur que leur père ne se soit pas montré responsable d'eux, par rapport à d'autres dont les pères étaient restés responsables, en les recevant le dimanche, en les initiant à sa vie de loisir, à sa vie intéressante, bien qu'ils soient avec la mère. D'ailleurs, pendant une période, la mère n'avait pas voulu qu'ils voient leur père. Leur père a dit : « Je comprends ta mère, mais j'envoyais de l'argent. Est-ce qu'elle te le disait ? — Non. — Eh bien, j'envoyais de l'argent, je peux te le dire, et il y en a la preuve par les mandats. Le juge dit que je dois vous voir. Et ta mère le sait. »

En somme, c'est le fait de l'irresponsabilité du père qui les choquait en grandissant, pas du tout le fait qu'il soit divorcé. Ils avaient souffert de ce dont la mère n'avait pas parlé. Elle n'avait pas expliqué que le père envoyait un mandat tous les mois. Elle ne voulait pas que les enfants aillent le voir ; c'était une histoire avec la belle-famille. En effet, les histoires de divorce sont presque toujours une histoire avec les parents, des histoires de jalousie ou de rivalité entre les belles-mères, entre les grands-mères, des histoires où la mère de l'homme ayant mis le grappin dessus au moment d'une grossesse de la belle-fille, il a fait une régression, un peu choqué par exemple de ne pas avoir eu l'enfant tel qu'il le voulait, ou de voir sa femme changer.

C'est au moment d'une naissance, au moment d'une difficulté avec un enfant que, très souvent, la mère de l'un ou de l'autre en profite pour rejouer son jeu, et reprendre son enfant qui est maintenant père ou mère, pour essayer de le faire divorcer, et s'occuper des petits-enfants.

C'est très fréquent. Presque tous les enfants de divorcés ont eu cette histoire-là et parlent plus tard des tensions avec les grands-mères ou entre les familles d'un côté ou de l'autre, beaucoup plus que lorsque les parents se sont remariés, et qu'ils n'ont plus de griefs l'un contre l'autre. Ce qui est resté marqué pour les enfants, c'est la difficulté avec la famille paternelle ou maternelle, le fait que, lorsqu'ils y allaient, on disait du mal d'un des parents, bien sûr de l'autre, pas celui qui était dans leur famille.

Donc, j'y reviens, les personnes qui sont chargées par le juge doivent déclarer la couleur, dire ce qu'elles font, et si l'enfant ne veut pas leur répondre, il a raison. Il le dira : « Non, je ne veux rien vous dire. » N'insistez pas.

RÉPONSE : *Dans ma question, je pensais à une situation précise où la maman a dit devant l'enfant : « Oui, on va décider où tu iras, si ce sera chez moi ou chez ton père, auquel cas moi, je ne serai plus ta maman. » C'était tellement violent.*

F. D. : Non, pas du tout, elle avait tout à fait raison : si l'enfant allait avec son père, elle n'était plus sa maman, mais elle restait sa mère, sa mère de naissance. Ce n'est pas du tout le même mot. Un enfant a toujours sa mère de naissance, mais il n'a plus la même maman, puisqu'il sera avec la « Juliette » du père. Il aura pour maman la « Juliette » du père, compagne de papa, mais sa mère est toujours sa mère de naissance et sa maman d'autrefois, sa maman de bébé. Il aura une maman de grand garçon, à côté de son père.

Des mamans, on peut en avoir trente-six, de même pour les papas. D'ailleurs, il y a des enfants à l'école qui disent à la maîtresse : « Moi, j'ai trois papas. » Il ne faut pas que la maîtresse se laisse dérouter, parce que celui qui n'en a qu'un, il est jaloux de celui qui en a trois. Il suffit de dire : « Il a trois papas, mais il n'a qu'un père de naissance, comme tout le monde, et peut-être même qu'il ne le connaît pas. Cela arrive, il y en a parmi nous qui ne connaissent pas leur père de naissance. Mais ils ont toujours connu un papa, ou un supposé papa. »

Le mot « papa » est un mot de rôle qui ne désigne pas du tout la réalité, légale ou génétique. Il y a des pères qui s'occupent de leur enfant, parce qu'ils restent à la maison tandis que la mère part le matin, revient le soir ; il y a des pères qui sont des pères nourriciers de leur bébé, parce qu'ils ont un travail à domicile, parce qu'ils sont chômeurs, ou parce qu'ils préparent leur thèse, alors que leur femme est obligée d'aller travailler — nous en avons eu plusieurs exemples à la Maison Verte —, eh bien, ces pères, leur enfant les appelle « maman », et ils appellent leur mère « papa ».

Au moment où je parlais à la radio[35] — je ne sais pas ce qui avait pu se dire à l'émission d'avant —, dans la même semaine, trois pères m'ont écrit, inquiets, en disant : « C'est moi qui m'occupe de notre bébé, et maintenant qu'il parle, impossible de le faire m'appeler papa, il m'appelle maman, et il appelle sa mère

papa. » J'ai écrit aux trois en leur disant :
« Demandez à votre enfant, fille ou garçon, qui
est le monsieur et qui est la dame. » Et là,
pas d'erreur : « papa », c'était la dame, et
« maman », c'était le monsieur.

C'est un rôle : mam-ma, cela veut dire qui
vient en moi pour me faire moi. C'est mou,
mam-ma, c'est la nourriture, cela passe dans le
tube digestif, c'est malléable, tandis que pa-pa,
c'est la dureté du départ, avec de la peine que
cette personne s'en aille et revienne ; c'est
quelque chose de dur, le départ, et dans toutes
les langues. Le mot « papa » veut dire la personne qu'on aime, qui s'en va, qui revient (il y
a une rupture), tandis que « maman », c'est le
continuum. Mais le père de naissance, c'est un
homme, la mère de naissance, c'est une femme,
et ce n'est pas toujours une maman. Bien des
mères de naissance ne sont pas des mamans, et
bien des mamans sont plus maternelles que des
mères de naissance. Elles ont le rôle de maman,
parce qu'elles s'occupent de l'enfant[36].

Vous entendez dire : « Mais, ce n'est pas une
mère, cette femme-là ! » C'est complètement
idiot, ce raisonnement : elle est la mère de cet
enfant, c'est celle qui lui est indispensable ;
c'est celle qui lui est bonne pour lui. Ceux qui

parlent ainsi se trompent ; c'est parce qu'ils ont des engrammes de quand ils étaient petits, leur maman à eux était autrement. La mère est coexistentielle à son enfant. Elle est comme elle est, cette mère de naissance. Elle peut n'être pas une maman. D'ailleurs, c'est vrai qu'il y a des mères de naissance qui ne sont pas des mamans de zéro à trois ans, et qui deviennent de très bonnes mamans pour des enfants de trois à huit. On n'est pas doué pour tous les âges d'enfants !

Il faut que vous ayez présent ce vocabulaire qui, pour les enfants, est très clair. N'importe quelle femme qui, quand on lui demande son goûter, vous le donne, c'est une maman. N'importe qui vous donnant des soins sans trop vous brusquer, c'est une maman. Mais la mère de naissance, c'est tout autre chose. Les enfants savent très bien qu'ils n'en ont eu qu'une, et il en va de même pour le père de naissance. Tels ils sont, tous deux sont respectables comme sa vie.

C'est cela qu'il faut répondre à ces enfants quand la mère dit : « Tu changeras de maman. » C'est un chantage pour qu'il reste avec elle. Il faut dire : « N'écoute pas ta mère, elle sera toujours ta mère, tu n'en as qu'une, même si tu changes de maman, si ton père a d'autres femmes. »

Quand c'est dit comme ça, l'enfant saisit tout de suite et console sa mère. Il dit : « Tu sais, je voudrais aller avec papa, mais ce n'est pas que je t'oublierai. » Sa mère pleure un bon coup. Mais c'est quand même très dommage actuellement pour les enfants qui veulent aller avec le père, et que le père veut bien prendre, de les laisser avec la mère, à partir de cinq ans, le garçon surtout. Même la fille, s'il y a une femme qui vit avec le père. L'important pour l'enfant, c'est de continuer sa vie sociale là où il était. En fait, l'enfant a besoin de rester là où il avait sa vie sociale commencée. Quand les deux parents vont à des endroits différents, c'est plutôt le garçon avec le père, pour apprendre à vivre en homme, et la fille avec la mère, pour apprendre à vivre en femme, surtout si les deux parents peuvent chacun refaire leur couple. Aller avec quelqu'un qui ne refait pas son couple, c'est dangereux pour un enfant.

Tout cela est contradictoire avec la loi puisque, quand les parents sont en cours de séparation, celui-là est en faute qui se promène avec son enfant et avec un conjoint éventuel, enfin un amant, ou une amante. C'est stupide car l'enfant est beaucoup plus en sécurité avec un homme qui a une femme, ou avec une femme qui a un homme. La loi est tout à fait en contradiction avec ce qui est bon pour l'enfant[37].

Il faut avoir une expression pour l'enfant, quand le père divorcé a une femme, qu'il est en couple sans être marié. Il faut dire « une fiancée ». Les enfants comprennent des mots qui ont un sens. C'est une fiancée. Alors, si c'est une fiancée, ils pardonnent qu'ils se bécotent, qu'ils couchent ensemble, qu'ils se tutoient, qu'ils se prennent par le bras, mais si ce n'est pas une fiancée : « De quoi est-ce qu'elle se permet de jouer à être la femme à mon papa ? » Fiancée, oui. Et puis, si elle change tous les quinze jours : « Papa change très souvent de fiancée. »

QUESTION : *Les personnes qui s'occupent de l'insémination artificielle partent du principe bien établi qu'il ne faut surtout pas que l'enfant le sache jamais. Qu'en pensez-vous ?*

F. D. : Et que pensent-ils qui doit être dit à l'enfant quand il posera une question ?

RÉPONSE : *Que c'est l'enfant du mari de la femme. En France, l'insémination artificielle avec donneur ne se fait que dans les couples mariés, ce n'est pas du tout évident que cela dure.*

F. D. : Ah oui, vous parlez des couples mariés. Bien sûr, il n'y a qu'un père, c'est le père légal. La mère porteuse est déjà mère pendant neuf mois, mais le père d'une seconde de temps d'insémination n'est pas un père. Il est le frère humain du père légal, d'ailleurs il a donné son sperme pour ce père-là. En tout cas, si l'enfant en est né, cela prouve qu'il a voulu naître d'une situation qui est celle-là. Il n'est même pas en mesure de le savoir. Il a choisi de naître dans cette condition où il y avait déjà au départ un père légal qui le désirait avant même sa naissance, et une mère légale, physiquement stérile, qui le désirait, dans l'amour de son conjoint.

C'est tout à fait vrai, il est le fils du père et de la mère, qui a désiré cet enfant du père légal, de son mari, et qui, avec l'autorisation du mari, a reçu le sperme d'un autre.

Je crois que, si personne ne le sait, c'est possible, mais si quelqu'un le sait dans les relations des parents, l'enfant l'apprendra un jour, par mauvaise intention, car il y a toujours des jalousies, surtout si l'enfant est réussi. S'il est un peu raté, il n'y aura personne pour le lui dire, mais s'il est réussi, il y aura des jalousies et quelqu'un le lui dira. C'est dans ce sens-là que, le jour où l'enfant entendrait quelqu'un le dire, et qu'il poserait la question, il vaut mieux lui répondre : « Puisque tu poses la question, oui, et tu vois quelle générosité cela représente chez le donneur de sperme, et aussi quelle générosité pour ton père qui, étant stérile, a autorisé, pour ne pas mutiler ta mère du désir d'enfant, qu'elle puisse en avoir un. Et c'est toi qui es né. Tu aurais pu ne pas naître. Si tu es né, c'est que tu étais d'accord avec tout ça. » Il ne faut pas mentir si l'enfant a une suspicion et qu'il pose la question. On peut lui expliquer. Quant à le lui dire… C'est l'entourage qui compte dans ce cas-là. Si personne ne le sait…

RÉPONSE : *Le père et la mère le savent. Donc, eux vivent avec ça.*

F. D. : Pas du tout ! C'est à tel point qu'il y a même des parents ayant adopté des enfants, et qui ont complètement oublié qu'ils les ont adoptés. Quand on a des enfants, on a l'impression qu'on les a toujours eus, depuis qu'on se connaît avec son mari. C'est un phénomène très curieux : il faut réfléchir aux dates pour se dire qu'en effet cet enfant n'était pas né à l'époque. Nous avons tous nos souvenirs et notre vécu qui sont inclus avec notre descendance. N'avez-vous pas remarqué ce processus curieux de notre vie imaginaire ? C'est tout à fait général : on a beaucoup de peine, il faut vraiment situer d'après l'année, tellement nous sommes sans le savoir père et mère de nos enfants bien avant qu'ils ne soient nés.

Eh bien, c'est la même chose pour un enfant adopté : les parents l'attendent et très souvent, bien avant qu'ils ne l'aient, ils sont déjà parents, de désir. Je crois que les parents l'oublient quand tout se passe bien avec leur enfant, surtout s'il a été adopté dès les premiers jours de la vie, ou adopté avant les premiers jours de la vie fœtale, comme c'est le cas pour un père avec mère porteuse ou un père de fœtus d'un autre homme avec sa femme, donneur de sperme ou amant.

Un père n'est père qu'à partir du moment où l'enfant est né. Ce n'est pas du tout l'acte sexuel qui fait qu'un homme est père. Un homme désire donner un enfant à sa femme pour la rendre heureuse, et c'est pour cela qu'un père autorise une insémination artificielle, ou reconnaît l'enfant de sa femme conçu avec un amant. C'est important parce que, comme l'enfant va peut-être savoir que son père est infécond, il faut qu'il sache la différence entre infécond et impuissant. Et cela ne va pas de soi pour les enfants, parce que la plupart d'entre eux croient que, si les parents ont trois enfants, ils ont fait trois fois l'amour. Il faut leur expliquer que ce n'est pas vrai, qu'ils le font presque tous les jours mais que, de temps en temps, un enfant est conçu, et qu'il n'y a eu que trois fois où le couple les a laissés naître.

Mais le jour où ils apprennent que leurs parents les ont adoptés, les enfants peuvent voir la preuve qu'ils sont inféconds et impuissants, qu'ils n'ont pas de relations sexuelles. Et cela, il faut l'expliquer aux enfants : ils en ont, mais cela n'a pas donné un enfant ; un enfant n'a pas voulu naître de leur étreinte sexuelle. C'est cela qu'il faut leur dire. Les enfants comprennent très bien ce mot-là, qui est un mot chaste, et qui dit bien ce qu'il dit.

Après cet échange sur l'insémination artificielle, je voudrais revenir à l'enquête auprès d'enfants de parents divorcés.

En ce qui concerne le milieu des cadres, le problème est venu du changement brusque de l'état social de la mère, qui avait la garde des enfants. N'ayant pas appris de métier, elle a dû prendre un travail déshonorant par rapport à son niveau, parce qu'il fallait vivre. Du coup, les enfants restés avec elle n'avaient plus leur mère comme avant puisqu'elle travaillait et c'est cela qui a été le problème. Pour certains enfants, cela a été l'impossibilité de continuer des études à long terme du fait que la mère n'avait plus d'argent pour les payer et que le père, dans un « démon de midi », était parti justement parce que son fils ou sa fille avait un âge d'adolescence, ce qui lui faisait revivre ses désirs d'adolescent à lui.

C'est cela, le problème des divorces à cet âge-là. Chez les cadres, c'est souvent ce qui se passe. C'est la déchéance de la mère divorcée d'être obligée d'accepter un travail alimentaire — parce qu'elle n'avait aucune préparation pour en prendre un autre ou parce qu'elle avait lâché son travail pour élever ses enfants, le mari lui permettant alors de vivre en les élevant. Et du jour au lendemain, elle n'a plus de quoi vivre seule en élevant de grands enfants.

QUESTION : *Pouvez-vous revenir sur une phrase que vous avez dite, qu'il est dangereux pour l'enfant de vivre avec le parent qui n'a pas reconstruit une structure de couple ?*

F. D. : Oui, parce qu'il s'imagine, comme tout petit enfant, que c'est lui qui a charge de consoler et de remplacer le vide dans la vie affective et sexuelle du parent qui reste comme veuf, bien qu'il ne le soit pas du tout puisqu'il est divorcé et qu'il pourrait refaire sa vie. Mais l'enfant sent que le père ou la mère se sacrifie à lui (c'est ce qu'ils disent) ; et c'est dramatique pour l'enfant. En fait, il ne se sacrifie pas du tout ; il se justifie d'un état dépressif d'âge adulte, en disant : « J'ai voulu me sacrifier, je n'ai pas voulu ennuyer les enfants. »

Il y a des mères qui disent : « Qu'est-ce que vous diriez si je me remariais ?

— Ah, je ne te reverrais plus !

— Ah bon, bon. »

Du coup, elles se rangent en religieuse sécularisée pour ne pas faire de peine à leurs enfants, alors que justement, lorsqu'elles sentent, elles, le moment venu de reprendre leur vie de femme, c'est aussi le moment de « traumatiser » les enfants, en leur disant : « Écoutez, c'est très joli, mais moi, je ne suis pas une enfant ; à mon âge, on a besoin de rendre un homme heureux ; un homme a besoin d'une femme, une femme a besoin d'un homme. Si vous n'êtes pas contents, on tâchera de se débrouiller pour vous payer une bonne pension. » Et puis, c'est tout.

D'ailleurs, si les enfants ont la chance de rencontrer à ce moment-là un médecin intelligent, c'est ainsi qu'il parle : « Tu sais, tu n'es pas du tout obligé de rester chez ta mère qui se remarie, il y a des pensions.

— Ah, j'aime mieux rester chez elle.

— Dans ce cas, tâche de te faire apprécier, de faire silence. Tu viendras me voir quand cela ne marchera pas avec ton beau-père, et puis si tu veux un changement de garde et aller chez ton père qui, lui, est déjà remarié et va avoir un bébé…

— Ah bien, non justement.

— Bon, alors tiens-toi tranquille, tu viendras me voir et puis on verra ça », etc.

Dans ce cas-là, la personne latérale peut faire beaucoup. Il ne faut pas laisser l'enfant jouer sa régression et rendre la mère coupable de « faire de la peine à ces pauvres petits » si elle prend un homme ; parce que, dans dix ans, cela se paiera très cher pour les enfants. Nous l'avons vu avec ces enfants de cadres qui disent, par exemple : « Je ne quitterai pas ma mère. Je veux prendre un travail qui ne m'obligera pas à quitter ma mère parce que, la pauvre femme, tout ce qu'elle a fait pour nous ! » Ou : « Si j'ai un métier, je pourrai la prendre en charge, pas question de me marier, les hommes sont des salauds ! »

On voit ainsi chez les enfants de cadres, pas chez les enfants d'ouvriers, ces effets culpabilisants à la deuxième génération.

RÉPONSE : *Je pense que cette surcharge affective, dont vous parlez dans le cas du parent qui reste seul, peut s'éviter en dehors d'une relation du couple, c'est-à-dire d'un partage de « je » quotidien. Ce qui est important, c'est que l'enfant sente que sa mère est occupée ailleurs même si ce n'est pas pour refaire un couple, qu'elle n'est pas « sacrifiée » à lui.*

F. D. : Bien sûr, même si ce n'est pas pour refaire un couple, mais qu'elle ait sa vie parmi les gens de sa génération, et que l'enfant fasse partie de sa vie, mais ne soit pas toute sa vie.

QUESTION : *Qu'est-ce que je peux dire de plus à une petite fille hémiplégique qui a des crises en séance ?*

F. D. : Cela s'appelle un contrôle, ce que vous me demandez, et on ne peut pas le faire ici. D'ailleurs, on n'est pas forcé de faire un contrôle tout à fait régulier ; quand on a une difficulté avec un enfant en psychothérapie, on peut très bien aller voir un psychanalyste de façon ponctuelle, deux ou trois fois, pour mieux comprendre ce que l'on éprouve d'angoissant au moment de la crise de l'enfant.

Je crois qu'il y a un danger à parler de ce que « fait » l'enfant. Parler de ce que fait cette fillette, c'est comme s'il y avait quelqu'un qui, tout le temps, l'observait et disait en mots ce qu'elle fait. Ce n'est pas ça une psychothérapie. Une psychothérapie, c'est dire : « Tout ce que tu fais, c'est pour me dire quelque chose, et j'essaie de comprendre. » Ce n'est pas ce qu'elle fait en apparence qui est important, c'est ce qu'elle vous dit par son comportement. Si vous allez chez un contrôleur, il vous aidera à vous comprendre dans ce qui vous fait sortir de l'attitude de psychothérapeute. Il ne s'agit pas de parler des comportements d'apparence de l'enfant, il s'agit de parler de son désir, de son intérêt à communiquer avec vous. Sinon, cela peut la mettre en tension au point de faire une crise, car dans ce cas, votre désir n'est plus de l'entendre en vous interrogeant sur ce que vous ressentez, vous, et le lui communiquer peut-être. Je ne peux pas vous répondre parce que vous ne pouvez pas me donner vos éléments affectifs personnels devant une assemblée. Il s'agit de rencontre entre l'inconscient de l'enfant et le vôtre.

QUESTION : *Il semble que pour l'enfant, dire « je », c'est comme une lumière.*

F. D. : Ça, c'est une citation de Kant. Et c'est vrai, quand l'enfant accède à dire « je », il faudrait aussi savoir ce que veut dire ce « je ». Si l'enfant dit « je », il peut encore dire : « je-moi », mais il ne dit pas « je-je », parce que bien des enfants, par exemple en pays africain, disent « je » à la place de leur mère. Des personnes qui sont allées en Afrique m'ont dit que les petits Africains, en tout cas dans les ethnies qu'elles avaient vues, ne disent jamais, comme ici, « Toto » ou « Untel », en parlant d'eux-mêmes, ils disent « je » tout de suite, mais ce « je » n'est pas eux, c'est « je-ma maman » qui a parlé, « je » quand ils étaient fusionnels, corps à corps, jour et nuit avant le sevrage. Donc, leur « je » est fusionnel à la mère.

Il faut se méfier du mot qui veut dire « je » quand ce « je » n'est pas « je-moi » séparé de ma mère, c'est-à-dire « je-moi », pas toi. Ce qui est tout à fait différent. Il faut l'entendre. Celui qui dit « moi » mais avec le verbe à la deuxième ou la troisième personne ne dit pas « moi-je », mais « moi-ma maman », moi-l'autre (dont je fais partie).

QUESTION : *Pourriez-vous nous dire comment s'effectue le passage de la troisième à la première personne grammaticale ?*

F. D. : Attention, jamais l'enfant ne parle de lui à la troisième personne, c'est une illusion de l'adulte, il parle de lui à la deuxième personne, et cela ne s'entend pas. Quand il dit : « moi fais ci, fais ça », ou qu'il parle avec l'infinitif « faire ça », c'est parfois un début de moi. À l'infinitif, cela veut dire « moi-je », non séparé de tous les autres. « Moi-je », tous les autres comme moi. Mais quand il dit : « Toto veux pas ci », c'est « Toto, tu veux pas ». La preuve, et vous l'avez tous, vous qui soignez des enfants, ou qui voyez se développer des enfants, est qu'ils vous disent « tu veux », et cela veut dire « je veux ». C'est parce qu'ils parlent comme l'adulte leur parlerait pour dire qu'ils veulent quelque chose dans le désir d'un adulte qui leur parle. Et quand ils parlent d'eux, apparemment à la troisième personne pour notre oreille qui sait la grammaire, en fait, ils parlent d'eux à la deuxième personne, et le passage de la deuxième personne au « je » ne peut pas se faire sans qu'ils disent d'abord « moi, moi, moi » répété deux ou trois fois. C'est toujours : « moi-ma maman », ou « moi-mon papa », ou « moi-mon frère », « moi-ma sœur », moi-un autre auquel je suis articulé en doublet.

Après, c'est « moi » tout seul, et cela devient « je », « moi, je ». Le passage est très médiatisé. Ils sont arrivés au « moi » signifiant « je » lorsqu'ils peuvent lâcher la personne tutélaire garante de leur identité pour aller seuls vers quelqu'un d'autre, sans peur de perdre leur sécurité existentielle.

Je ne peux pas expliciter ici la différence entre symbolique et imaginaire chez l'enfant. Chez l'enfant, c'est l'imaginaire qui mène au symbolique, l'imaginaire étant une vérité pour lui et son complice, quel qu'il soit : son chien, son chat, une personne, son jouet, sa petite couverture ou sa tétine ; et le symbolique, c'est ce qui est lui en vérité avec tous les autres dans le langage. C'est différent de l'imaginaire.

Je ne peux pas, là, détailler davantage.

QUESTION : *Vous faites des psychanalyses avec des enfants qui n'ont pas encore le langage...*

F. D. : ... pas le langage verbal pour s'exprimer, mais ils ont le langage, sans cela on ne peut pas faire de psychanalyse avec des enfants.

QUESTION : *Quelle valeur ont les mots en eux-mêmes pour un petit qui ne sait pas parler ?*

F. D. : On leur dit très peu de mots. On « est » avec eux dans ce qu'ils font. Être. Les mots sont ceux qui nous expriment nous-mêmes, en vérité, pas des mots « à leur portée », mais des mots du vocabulaire clairs pour nous.

Chez l'adulte, il y a des séances d'analyse qui se passent dans le silence total. De même, avec l'enfant, il y a des séances dans le silence total, un silence verbal, avec une énorme animation de communication[38].

QUESTION : *N'est-ce pas plus au niveau d'in-conscient à inconscient ?*

F. D. : Oui, tout à fait. C'est du niveau inconscient à inconscient. La façon de regarder, c'est du langage. C'est un échange de langage interpsychique, le regard.

QUESTION : *Toucher l'enfant ?*

F. D. : Tactilement ? Non, jamais il ne faut toucher un enfant en psychothérapie psychana-lytique ; en éducation oui. Se laisser toucher par lui mais en disant en paroles le sens que l'on perçoit de cette initiative corporelle de l'enfant qui ne peut ou n'ose dire.

QUESTION : *Intonation de la voix ?*

F. D. : Pourquoi pas, si on a quelque chose à dire.

QUESTION : *Beaucoup plus que les mots eux-mêmes ?*

F. D. : Non, les mots ont un sens symbolique très important, mais on n'est pas forcé d'en dire tout le temps. Un des mots symboliques qui a beaucoup d'importance, c'est de dire : « Non, ce n'est pas vrai. » C'est un mot très important à dire quand l'enfant joue quelque chose qui est faux. On le voit très bien quand l'enfant est faux, il est partagé entre deux attitudes. Par exemple, l'enfant qui entre et puis qui veut s'en aller. Vous voyez qu'il veut en même temps rester et s'en aller. « Ce n'est pas vrai que tu ne veux pas t'en aller, mais c'est vrai que tu ne veux pas rester. » L'enfant a les deux attitudes et il faut lui faire comprendre son ambivalence. Lui dire : « Tu veux, et tu ne veux pas en même temps. Tu es comme deux. Il y en a un qui veut, et un autre qui ne veut pas. » C'est très souvent comme ça dans la vie, même chez les adultes. Et ça, un enfant le comprend très bien, il est justifié d'un désir contradictoire.

Par exemple, dans une séance d'analyse où déjà a été dit et fait beaucoup pour l'enfant, si, au milieu de son jeu, il le laisse tomber et passe à autre chose, on peut lui dire : « Tu aimais ce que tu faisais. On dirait que cela t'a fait penser à quelque chose de dangereux, alors tu as arrêté ce qui te faisait plaisir et tu es passé à autre chose. » Il entend très bien, et ce, dès huit mois, neuf mois.

Quand un enfant est tout petit, c'est la personne maternante présente à la séance qui le touche pour lui expliquer les mots qu'on lui dit, par exemple : « Avec ta main droite, avec ta main gauche. » Et à la maternante : « Montrez-lui où est sa main droite, montrez-lui où est sa main gauche. » Ce n'est pas l'analyste qui doit le toucher, cela doit être fait par la personne habilitée à toucher son corps, mais qui n'a pas su lui donner les renseignements concernant son schéma corporel[39].

On s'aperçoit que c'est pour cela que cet enfant n'est pas adapté à son niveau d'âge car son schéma corporel doit lui être donné par quelqu'un, la personne chargée de s'en occuper.

Je ne peux pas vous donner tous les détails de la psychothérapie des enfants. Vous avez tout à fait raison : c'est d'inconscient à inconscient, mais le psychanalyste est là pour faire advenir l'inconscient au préconscient et au conscient, dans ce qui gêne la vie d'échanges de l'enfant en tant que sujet articulé à un corps qui, avec le sujet, deviendra son Moi ; mais il doit en passer par la communication avec l'autre qui est son Toi. C'est la personne tutélaire qui est actuellement ou a à être son premier « Toi à Moi » comme ce Toi là, le Toi

200

quotidien structurant de la réalité, ce ne peut être le thérapeute psychanalyste.

QUESTION : *Les juges doivent-ils demander l'avis des enfants avant de statuer sur la garde des enfants ?*

F. D. : Ce serait bien que quelqu'un autour du juge prévienne les enfants qu'on est en train d'étudier le mode de règlement de la séparation des parents. Ce serait très bien, surtout maintenant que les parents cachent aux enfants qu'ils vont se séparer, et que très souvent ils ne se disputent pas. Malheureusement, les juges aiment bien signer quelque chose où les parents se sont entendus à l'amiable avec le même avocat pour les deux. En fait, ils se sont entendus pour se libérer, et ils l'ont fait sur le dos des enfants, sans les prévenir de ce qu'ils vivaient et décidaient. Et cela, c'est très grave.

Nous avons fait un travail considérable du temps où Mme Pelletier était ministre, s'occupant de la famille[40]. Une commission a réuni à son initiative, juges, avocats, psychanalystes, sociologues. Nous avons travaillé huit mois de suite. Nous avons vu toutes les associations de parents divorcés et des femmes abandonnées. Généralement, au troisième ou quatrième enfant, les hommes abandonnent leur femme ; cela coûte trop cher, une famille ! Ils s'en vont et se dérobent à toute contrainte matérielle. C'est très difficile pour ces femmes de rester ainsi sans argent, avec un mari qui ne s'occupe plus de ses enfants et qui, n'ayant pas d'adresse ni d'emploi fixe, ne peut être atteint par les demandes de papiers à signer concernant les choses officielles de la famille.

Nous avons découvert des situations de détresse insoupçonnée pour les enfants. Les Allocations familiales donnent à ces femmes une aide. À l'avenir cela peut induire les garçons à devenir délinquants, et les filles prostituées, comme pour dédouaner leur père et ne plus rien coûter à leur mère. C'est une chose très importante de dédouaner les parents fautifs en vivant comme eux. L'enfant en a souffert. Et il répète le même comportement. Faire quelque chose d'irresponsable à son tour est une manière de déculpabiliser le père.

Je crois qu'en effet le juge devrait demander l'avis des enfants. Généralement, les enfants savent très bien où (plutôt qu'avec qui) ils voudraient vivre, que ce soit compatible ou non avec le fait d'être avec le père ou la mère, car beaucoup d'enfants voudraient rester dans le même logement, rester à la même école. Je suis certaine qu'après huit, neuf ans, beaucoup préfèrent trouver un accueil dans le quartier qu'ils connaissent, pour rester dans la même école et garder les mêmes camarades et amis. C'est beaucoup mieux du point de vue social pour les enfants.

Mais c'est difficile, le partage du temps. On dirait que c'est celui qui est méritant qui a la garde de l'enfant. Ce n'est pas vrai du tout : c'est celui qui a le plus de stabilité, c'est quelquefois celui qui a le plus d'argent ou celui qui a une famille pour le soutenir. Il y a beaucoup de raisons pour lesquelles le juge décide de confier la garde à tel ou tel parent. Cela devrait être expliqué aux enfants par le juge lui-même, ou par quelqu'un de la part du juge, avec ou sans la présence des parents. Une personne extérieure à la famille expliquerait beaucoup mieux qu'il n'y a pas de valeur à avoir la garde, ou à ne pas l'avoir.

C'est un jugement qui est pris en essayant de faire le moins de grabuge possible, mais de toute façon, c'est toujours une solution quant à la vie pratique qui a été cherchée par le juge, pour ne nuire à personne et ne donner raison à personne, alors que le parent qui a la garde s'ingénie généralement à dire qu'il est le parent valeureux des deux aux yeux du juge. Là n'est pas la question. On espère avoir décidé pour garantir le plus de stabilité à l'enfant. Mais c'est une fausse question, celle d'avoir la garde. Et d'ailleurs, je trouve que les parents qui ont la garde, comme on dit — c'est-à-dire qui ont le temps principal de l'enfant —, ont généralement beaucoup moins le temps de s'en occuper que ceux qui ont au contraire les jours de congé, les petites vacances, et un mois de grandes vacances. C'est à ce moment-là que l'on fait la meilleure éducation, ce n'est pas du tout quand l'enfant est déjà pris dans la vie sociale qui est la sienne, l'école, le rythme de l'école et celui des parents qui travaillent. On n'a même pas le temps de se parler, on est dans la bousculade. Là où on a le temps de se parler, de parler vraiment de choses importantes, c'est quand parents et enfants ont du loisir en même temps. Garder ses enfants pour dire : « Ah, c'est moi la valeureuse », ou « C'est moi le valeureux », cela ne rime à rien. Mais il faudra des décennies pour que les gens comprennent cela !

Personne n'a tort dans un divorce : c'est un malheur. Alors, le moindre malheur, c'est parfois de divorcer, au lieu de rester ensemble sans amour, sans désir, sans amitié, sans goûts ni intérêts en commun.

QUESTION : *Quand les enfants sont avec des parents qui ne s'entendent pas, mais qui continuent de rester ensemble, qu'est-ce qu'il faut leur dire ?*

F. D. : À mon avis, c'est très facile. Les enfants s'aperçoivent que ça ne va pas mais ne veulent pas en croire leur intuition ou leur observation. Il faut donc que les parents, ensemble si c'est possible, expliquent la situation de désunion assumée et disent qu'ils se sont donné l'un à l'autre la liberté, la liberté d'aimer, de ne pas rentrer le soir, d'être absents. Ils ne couchent plus ensemble dans la même chambre ; ils font lit séparé. Cela doit donc être expliqué avec des mots très simples aux enfants. Les parents ne s'aiment plus pour risquer, en couchant ensemble, de concevoir un enfant. Ils ne s'aiment plus assez pour se dire qu'ils ont bien fait le jour où ils se sont fiancés, et quand ils se sont mariés. Ou encore, une autre parole possible : « Ton père et ta mère ne sont plus amoureux l'un de l'autre, mais ni lui ni moi nous ne regrettons ta naissance. »

Les enfants comprennent les amoureux, comme ils comprennent les gens séparés, mais il faut leur mettre des mots : « Ils ne veulent plus coucher ensemble parce que, quand les grandes personnes couchent ensemble, il peut arriver qu'à propos de leur étreinte sexuelle un enfant naisse. Ils ne veulent plus être père et mère d'un enfant ensemble. » Ce qui est vrai dans la réalité charnelle l'est encore plus sur le plan imaginaire et symbolique. « Ton père sera peut-être père avec une autre femme. Moi, maintenant que nous ne sommes plus amoureux, ton père m'a laissée libre d'aller avec d'autres hommes. Peut-être qu'un jour, si je rencontre un autre homme, comme lui une autre femme, il y aura un petit frère, ou une petite sœur, mais je te le dirai à temps, ne t'inquiète pas. Je resterai toujours ta mère et lui ton père. »

Voilà, c'est comme ça qu'on peut parler aux enfants, vraiment clairement, par rapport aux projets. Un couple désuni est de ce fait ouvert. Chacun a sa vie sans ce conjoint-là (légitime ou non), chacun est donc potentiellement en projet, projet qui se réalisera ou pas. C'est que pour tout enfant, un couple est dans un projet de procréation, ou a des projets de création ensemble, dont le cas particulier de la naissance d'un enfant : la procréation est un cas particulier de création. Les parents qui ne s'entendent plus ne sont plus dans un projet de procréation, mais ils peuvent, pour des intérêts pécuniaires, être obligés de vivre ensemble, d'avoir le même magasin, d'être chez le même employeur. Il faut le dire clairement aux enfants : ils ne sont plus amoureux, mais ils restent associés pour le commerce, ils ne sont pas brouillés tout à fait. Ils ne veulent pas divorcer mais ils ne s'aiment plus pour risquer de faire un enfant. Cela peut se dire : « Voilà pourquoi ta mère voit parfois un homme, c'est normal qu'une femme essaie de rendre un homme heureux, au lit y compris, et la même chose pour un père avec une femme. »

Que de grabuge chez les enfants, non seulement dans les divorces, mais aussi par exemple quand un homme devient veuf et qu'il se remarie. La fille de seize ans ne peut pas souffrir que son père trompe soi-disant sa mère défunte en se remariant. Des brouilles à vie entre un père et ses filles et fils ont été la conséquence du remariage ou du concubinage notoire du père après veuvage. Cela fait des dégâts épouvantables parce que le père n'a pas dit clairement à chacun : « Tu sais, ta mère est morte, mais ce n'est pas une raison pour que moi, je sois nul vis-à-vis des femmes. Tu ne peux pas être ma femme, je t'aime comme ma fille (ou mon fils), mais pour moi, rechercher à reconstruire un foyer c'est tout à fait normal. » Des jeunes filles s'imaginent vraiment que leur père est « délinquant » de se remarier un an ou deux après la mort de leur mère. Ne tenait-elle pas, elle, le ménage aussi bien que le faisait sa mère, s'occupant aussi bien des jeunes frères et sœurs ? Il n'avait aucune raison ni besoin d'avoir une autre femme.

Restées puériles, élevées par une mère qui avait été souffrante les dernières années, ces jeunes filles, ignorantes des désirs sexuels, gardent des mots ambigus : « On s'aime, alors on reste ensemble », sans avoir idée des motivations adultes génitales dans la recherche de l'autre. Sans savoir expressément le dire, sans représentation clairement incestueuse, elles voudraient que leur père vive comme un moine, parce que maman est morte. Avoir charge de son père toute la vie, un père chaste qui se mettrait les pieds sous la table, avec la bonne cuisine de sa fille et son amour à lui consacrer.

Je pense ainsi à une jeune femme qui s'est

brouillée avec son père parce qu'il s'est remarié. Elle a fugué. Son père lui a dit : « Mais écoute, reste donc ici, cette femme (sa nouvelle femme) ne te mangera pas ; tu es en train de faire ton CAP, après tu t'en iras, je t'aiderai, mais ne rate pas la fin de tes études pour cela. Elle ne tient pas la maison comme toi qui l'as appris de ta mère mais je m'en contente. Cela ne mérite pas que tu rates ta vie pour cela. » Rien à faire : elle est partie chez une sœur aînée qui était mariée. Naturellement, il est arrivé ce qui devait arriver. La sœur venait d'avoir un bébé, le Jules de la sœur a dit : « Dis donc, moi je m'ennuie, ta sœur est tellement occupée, si tu veux, tu pourrais peut-être venir dans mon lit. » Alors, complètement affolée, elle est partie de chez sa sœur, parce que son beau-frère était un « salaud », alors qu'elle le croyait un monsieur si gentil. C'était une enfant sans aucun moyen de se défendre : ignare en sexualité. Cela s'est payé évidemment par une vie ratée pendant dix ans à la suite de tout cela.

Vous voyez, c'est un raté d'éducation, c'est un raté du dire éducatif par des personnes latérales, à défaut du dire à temps du père qui, au début de son veuvage, a laissé s'installer une situation ambiguë.

Cette femme m'a écrit toute son histoire, et j'ai pu parler avec elle au téléphone. C'était un bébé complet. Naturellement, après quelques années d'esseulement, elle a été courtisée et s'est mariée. Cela a été dramatique. Ne sachant pas du tout ce qu'elle faisait, quand, après quelques mois de fiançailles bien pudiques, son fiancé voulut faire aussi ce que son père faisait avec une dame et ce que son beau-frère voulait faire avec elle, elle a dit : « Mais alors, tu ne m'aimes pas, tu es un coureur ? », alors qu'ils étaient à quelques semaines du mariage. En fait de mariage, des années de compagnonnage boiteux. Et c'est maintenant que sa fille a dix ans qu'elle découvre qu'elle est elle-même un bébé de dix ans. Complètement affolée de voir sa fille s'intéresser aux garçons, elle se demande si elle n'est pas perverse ; c'est pour cela qu'elle m'a téléphoné.

Nous sommes là dans une situation qui est la suite d'une enfance traumatisée : la mère, déficiente physiologiquement depuis en fait l'âge de la puberté de cette fille, n'avait pas pu la conduire à accepter que son père, quand elle serait morte, se remarierait et qu'elle, elle aurait à faire sa vie. La mère ne l'avait pas du tout préparée à cela. Et la fille a su après que sa mère était malade depuis quatre ans, d'une maladie qui ne pouvait pas pardonner ; mais personne ne le lui avait jamais dit.

QUESTION : *Faut-il dire aux enfants quand leur père ou leur mère est malade d'une maladie très grave ?*

F. D. : Bien sûr qu'il faut leur dire, et il faut aussi les préparer à leur mort éventuelle ou probable. Il faut les mûrir d'autant plus. Ils ont ce destin-là, il faut qu'ils sachent l'assumer. « Ta mère a une maladie très grave ; on espère qu'on va pouvoir la guérir, mais ce n'est pas certain. Tout le temps que tu as encore ta mère, profites-en pour savoir d'elle tout ce qu'une fille doit savoir, et dis-lui que tu sais qu'elle est très malade. Parle-lui. » Les mères sont très soulagées quand elles peuvent parler pour de vrai à leur enfant de leur maladie. Surtout quand elle approche de la mort, une mère est très angoissée de ne pas avoir donné son viatique de mère à son enfant fille, ou un père à son enfant garçon. Il faut aider l'enfant à se préparer, qu'il y ait ces colloques profonds sur les vœux futurs, et la direction que la mère voudrait voir sa fille prendre, que le père voudrait voir son fils prendre, dès qu'il ne sera plus, et qu'il se sente assisté par-delà la mort de ce père, ou par-delà la mort de cette mère, à conduire sa vie dans une direction non contradictoire au désir de celui qui, malheureusement, est mort avant que son enfant ne soit devenu jeune homme ou jeune fille.

Cette femme dont je parlais a gardé comme engramme du désir de sa mère le fait qu'elle reste une enfant ignare sur les choses de la vie, alors que c'est une femme fort intelligente, qui a passé un CAP, qui a une très bonne situation. Mais encore maintenant, elle n'est effectivement pas plus expérimentée qu'une jeune fille. Sa fille de dix ans va la dépasser, et dans une cavale sauvage parce que la mère n'aura pas su l'initier en paroles à temps.

Si maintenant cette jeune femme fait un travail psychanalytique pour elle, sa fille va retrouver une sécurité au foyer de ses parents, et surtout se sentir le droit d'aimer son père — parce que, dans ce cas-là, il y a un homme : « Oh, vous savez, me dit la mère, nous vivons comme séparés, et chastement, sauf de temps en temps car moi, je ne suis pas portée sur la chose. » Et pourtant le père reste à la maison. « Je n'ai pas voulu avoir d'autre enfant, parce

que déjà en avoir un c'est bien compliqué. »
(On se demande pourquoi ! À moins qu'elle ne
soit jalouse de sa fille vis-à-vis de son mari ?)

Il est sûr que si cette femme fait une psychothérapie, bientôt elle sera enfin normale, et
si elle a un deuxième enfant avec ce mari, qui a
l'air d'être tout à fait normal, cela fera beaucoup de bien à la fille, qui ne cherchera plus à
« cavaler » et risquer des expériences sexuelles
ou même une grossesse précoce, sans possibilité
d'en assumer la responsabilité ni de construire
un couple.

QUESTION : *Quelle est l'incidence du début de la
vie en couveuse pour un enfant ? Un contact avec
la mère l'après-midi tous les jours suffit-il ?*

F. D. : C'est suffisant pourvu que la mère,
quand l'enfant est en couveuse, aille en effet le
voir tous les jours. Si c'est possible, qu'elle lui
donne son lait, c'est encore mieux. À travers la
couveuse, dans le silence bruitant d'une couveuse, l'enfant intuitionne la présence de sa
mère, il sent la présence de quelqu'un qui foca-
lise son désir pour entrer en communication
avec lui. Et, une fois que le bébé est sorti de la
couveuse, on lui raconte qu'on a été séparé pen-

dant longtemps, qu'il était en couveuse, que sa mère et son père souffraient comme lui d'être séparés de lui.

Le pont entre les êtres, c'est le langage qui le fait. Évidemment, quand l'enfant est petit, il ne faut pas que la mère en ait été trop longtemps frustrée sinon, en effet, elle n'aura pas, au jour le jour, établi une relation la renouant à son enfant et son enfant à elle. Les couveuses et les chambres chaudes, ce sont de très bons débuts dans la vie, à condition qu'il n'y ait pas eu séparation totale, mais au contraire une relation quotidienne d'amour et d'échange. Car si la mère reprend sa vie complètement et que tout d'un coup, on lui rende deux mois après, un bébé dont elle n'a plus du tout besoin, ni envie, et qui ne la connaît pas, c'est un réel traumatisme pour tous les deux, le bébé et sa mère.

C'est cela qu'il faut que vous compreniez, vous qui êtes des travailleurs sociaux, des infirmières, etc. Vous avez à aider les mères à venir en les assistant, restant à côté d'elles un moment parce que, très souvent, elles sont déprimées, frustrées de voir un enfant en couveuse avec lequel elles ne savent pas communiquer. Il faut leur dire : « Il sent votre présence !

Parlez-lui, il le sentira. » Comment ? Je ne sais pas, mais il le sent.

QUESTION : *Comment peut-on comprendre que l'enfant comprenne le langage ?*

F. D. : Je ne sais pas, mais c'est vrai. Et il comprend toutes les langues. Si une Chinoise lui parle en chinois, une Arabe en arabe, et une Française en français, il comprend. Il comprend toutes les langues. Peut-être intuitionne-t-il ce qu'on veut lui dire. Peut-être est-ce communication d'un esprit à un autre esprit. Il en a l'entendement.

En couveuse, l'enfant n'entend pas avec ses oreilles physiques que sa mère est là, il a l'entendement de sa présence autre, mais qui est la suite de cette même présence quand il était *in utero*. Sa mère *in utero*, c'est sa mère ; sa mère qui vient, pour lui et pour elle, l'aimer quand il est dans la couveuse, c'est aussi sa mère. Un cœur à cœur se renoue à défaut de corps à corps.

Ce qu'il faut, c'est aider la mère à ne pas se déprimer. Et c'est le travail des personnes latérales du service ; elles doivent pouvoir lui dire : « Ne vous en faites pas, c'est très important

215

que vous soyez là, même si vous ne l'entendez pas ; pour lui, c'est sa maman qui vient le voir tous les jours. Vous verrez, quand il sortira, il sera le vôtre tout à fait, il sera si heureux d'être plus près de vous », etc. Et c'est vrai, alors que souvent, lorsqu'une mère a trop de peine de venir voir son enfant en couveuse, on lui dit : « Écoutez, il est très bien là, ne venez que dans quelques jours. » On croit préférable de la soustraire à cette épreuve, or c'est très mauvais. Il faut qu'elle ait cette épreuve et qu'on l'aide dans cette épreuve, et que le lien symbolique avec l'enfant à travers ces vitres, malgré cet isolement, ait lieu, car c'est très important. L'enfant souffre aussi mais il n'est pas tout seul. Et le partage de l'épreuve est secourable.

QUESTION : *Que pensez-vous du fait que l'on conseille aux parents adoptifs de dire à leurs enfants qu'ils ne sont pas les vrais parents ?*

F. D. : C'est très dommage qu'on leur conseille de dire cela car ils sont les vrais parents. Cela ne veut rien dire, des « vrais parents ». Il y a des vrais parents géniteurs, des vrais parents légaux. Tout le monde est vrai parent d'une façon ou d'une autre. Mais, il y a des parents géniteurs qui ne sont pas des « vrais » parents géniteurs puisque tout le temps de la grossesse, parfois même à la naissance, ils ont rejeté l'enfant, ils ont refusé de le « connaître » et de le « reconnaître ».

Il faut dire le mot « géniteur ». L'enfant comprend. Il comprend bien « biberon », alors qu'il ne sait pas encore ce que c'est ! Il le saura à force d'avoir l'expérience du mot, il saura que « biberon », c'est cette bouteille chaude qui a une tétine au bout et qui vous rassasie[41].

Il faut dire aux enfants les mots justes. Le mot « géniteur », ils comprendront un jour ce que c'est. Nous disons les mots aux enfants bien avant qu'ils sachent ce qu'il y a sous les mots. C'est très important.

Il ne faut jamais dire aux enfants : « Ce ne sont pas tes vrais parents » ; mais : « Ce sont tes parents adoptifs, comme tu es leur enfant adoptif. Ils sont comme toi : tu es adoptif, ils sont adoptifs, donc vous êtes de vrais parents adoptifs. Deux autres, que tu ne connais pas, ont été tes parents géniteurs. Tu as été engendré par ta mère de naissance, elle n'a pas pu t'élever, et t'a confié en vue d'adoption ; elle t'avait mis au monde sain et solide puisque tu as survécu à votre séparation. »

L'important, c'est que les parents adoptifs disent combien ils sont reconnaissants aux parents géniteurs. C'est quelque chose qui manque. À partir du moment où les parents adoptifs font cela, l'enfant relie complètement ses parents, symboliquement, à ses parents géniteurs. «Comme je suis reconnaissante à ta mère de t'avoir mis au monde et de m'avoir donné la joie de pouvoir t'élever, bien qu'elle n'ait pas pu te garder, quelles qu'en soient les raisons, je n'en sais rien, ton père non plus; en tout cas, quelle joie ils nous ont donnée d'avoir un bel enfant, et comme ils devaient être bien pour que tu sois si bien!»

À travers cet enfant, ce sont les parents géniteurs que les parents adoptifs adoptent, mais ils ne le savent pas. C'est aux organismes adoptifs de le leur dire et de le dire à l'enfant lorsqu'ils le confient aux adoptants[42].

À ce propos, j'ai appris par des parents venus me voir, complètement déroutés, comment l'organisme d'adoption, après une série d'entretiens, avait mis en question leur désir d'adopter. On les a convaincus qu'en fait ils n'avaient pas besoin du tout d'adopter, qu'ils étaient un couple très heureux comme ça. Et quand les parents ont dit : «Eh bien, oui, vous avez raison ; en effet, qu'il y ait un enfant ou qu'il n'y en ait pas, nous sommes très heureux ensemble », voilà que huit jours après, on leur annonce un enfant, alors que, justement, ils n'étaient plus dans le désir d'adopter. Mais l'organisme, lui, avait le désir virulent de leur faire adopter le jour même une petite fille !

Or ce sont les parents qui doivent avoir le désir virulent d'adopter. Pourquoi faut-il les en dissuader sous prétexte de je ne sais quelle idée qui, un jour, est entrée dans la tête des gens qui gèrent les adoptions des autres, comme quoi il faut les débarrasser du désir d'adopter ? On a montré à la télévision ce processus absurde de « préparation psychologique à l'adoption », sinon je ne les aurais pas crus.

Ces parents-là étaient complètement déroutés. Ils avaient compris que c'était trop difficile, qu'on ne leur donnerait pas d'enfant. Après tout, ils avaient déjà parrainé deux enfants de leurs amis et connaissances, ils s'aimaient vraiment et avaient pris leur parti de rester un couple sans enfant. Et c'est à ce moment-là qu'on leur en propose ! Ils ont été tout à fait déroutés. La mère, complètement affolée, est venue me voir, en disant : « Je ne peux tout de même plus refuser maintenant, mais à présent toute notre vie s'est organisée autrement, on nous a tellement fait la leçon que nous n'avions pas besoin d'enfant, nous avions donc cessé d'espérer et de demander. Et puis voilà qu'on nous en envoie un ! »

Vouloir que les parents n'aient plus besoin d'adopter, et considérer, à ce moment-là, qu'ils sont bons pour adopter, c'est complètement fou.

RÉPONSE : *Cependant, j'ai pu constater que ces enfants adoptés, auxquels on parle ainsi, n'assumaient pas, en grandissant, le fait de n'avoir pas de « vrais » parents.*

F. D. : Bien sûr, si on dit à des enfants qu'ils n'ont pas de vrais parents, alors ils ne sont pas de vrais enfants. C'est comme si on leur avait enlevé le droit d'avoir une identité.

RÉPONSE : *Ils ne comprennent ni les problèmes, ni la conduite des adultes.*

F. D. : Oui, ils ne savent pas quel modèle adulte prendre. C'est tout différent, si leurs parents adoptifs les désirent et s'ils les félicitent de la réussite, à travers eux, de leurs parents géniteurs, sans lesquels ils n'auraient pas eu la vie. « Puisque mes parents adoptifs sont des gens très bien, et, d'après ce qu'ils disent, mes géniteurs inconnus aussi, je deviendrai quelqu'un de très bien, j'ai une identité enracinée dans deux couples, au lieu de n'en avoir pas. »

QUESTION : *Et si ces enfants se sentent alors différents et plus ou moins rejetés ?*

F. D. : Bien sûr qu'ils sont différents. Tout le monde se sent différent du voisin. Et pour ce qui est d'être rejeté, cela peut être un enfant qui a quelque chose de paranoïaque en lui, c'est possible, mais c'est parce qu'il a été adopté trop tard, au moment de l'investissement des valeurs anales. Si un enfant est dressé à la propreté, il croit que « caca n'est pas beau » ou « que c'est mal de faire caca culotte », eh bien, quand il est adopté, la pouponnière ou la famille d'accueil temporaire, qui le lâche pour qu'il aille chez quelqu'un d'autre, se comporte en « rejetante ». Cette famille d'accueil ne le traite-t-elle pas comme un caca et les adoptants de même, comme des recueillants de caca, s'ils ne lui révèlent pas son origine d'enfant conçu et engendré, et non « fait » ? Il garde alors en lui quelque chose qui est un noyau paranoïaque. « Puisque la famille m'a traité comme un caca, c'est que je suis un caca, donc tout le monde est méchant », ou « c'est moi qui suis méchant », c'est-à-dire que, pour ne pas se sentir dévalorisé, ce sont les autres qu'on dévalorise.

Un enfant plus ou moins véritablement rejeté a des conflits très graves avec ses parents, qu'il soit engendré ou adopté par ces parents rejetants devenus des modèles fatalement intériorisés.

Il arrive que des parents adoptifs, du fait de leur stérilité, en gardent quelque chose d'amer qui n'a pas été assez dit. Cela fait qu'ils n'expliquent pas à l'enfant combien, eux, se sont sentis rejetés par la nature, frustrés de la joie de la nature, de n'avoir pas pu porter des enfants de leur couple. Ils ont parfois, inconsciemment, une rancœur vis-à-vis de leurs propres parents, ils les rendent responsables d'avoir été rejetés du sort des autres. « Les autres couples ont des enfants, et nous, nous n'en avons pas, ce n'est pas juste ! » L'enfant adopté ne les guérit pas toujours.

J'ai souvent eu à analyser chez des adultes, ex-enfants adoptés, les effets de leur adoption, mal formulée au départ. Ainsi cette femme à qui sa mère adoptive avait menti dans le passé, en lui disant : « Heureusement que tu es arrivée la dernière, tu vois, j'avais eu déjà six fausses couches, et tu es arrivée enfin… » Et quand par la suite elle a su la vérité, que sa mère n'avait jamais eu une fausse couche de sa vie, c'était trop tard pour son inconscient. Elle-même avait déjà fait trois fausses couches sans raison organique. Elle est venue en psychanalyse, sur le conseil des gynécologues qui lui disaient : « Il n'y a aucune raison pour que vous fassiez des fausses couches, c'est dans votre tête que ça se passe. Allez plutôt voir un psychanalyste. »

Cette femme ignorait donc qu'elle était adoptée. Elle avait aimé un jeune homme. Et c'est alors, avant les fiançailles officielles, que ses parents lui ont révélé à lui la vérité. Elle ne l'a jamais revu. Elle a tellement souffert d'avoir été abandonnée par son fiancé que sa mère a été obligée de lui en dire la raison. Quelques années après, elle a épousé un autre homme, mais elle n'arrivait pas à mener à terme ses grossesses. Quant à la mère adoptive — sa mère —, elle a commencé un cancer peu de temps après avoir dû dire cette vérité à sa fille.

C'est au moment de son analyse que son père adoptif lui a dit : « Ta mère n'a jamais fait une seule fausse couche ; elle était complètement stérile ; elle t'a raconté cela, et je ne sais pas pourquoi je la laissais dire. » Mais cela s'était engrammé chez la fille que, pour devenir mère, on devait faire beaucoup de fausses couches avant.

C'est dire que ce problème d'être rejeté peut être le problème inconscient des parents adoptifs bien plus que des enfants qu'ils adoptent. Je ne crois pas qu'il faille penser que le fantasme de rejet vienne de ce que ces enfants sont adoptés. Dire (et croire) qu'on n'est pas des vrais parents, cela signifie que l'enfant n'est pas un vrai humain. C'est très maladroit de parler ainsi. Les mots sont très importants, la justesse des mots : « Tu es notre enfant adoptif, comme nous sommes tes parents adoptifs, nous sommes exactement pareils. Nous sommes reconnaissants à tes parents, et à la vie qui nous a permis de te connaître, de t'aimer ! À travers toi, ce sont tes parents que nous honorons et aimons en t'élevant. »

On ne peut pas aimer l'enfant si on se sent hostile à ses parents. On entend parfois la mère dire devant son enfant adopté : « Si ce n'est pas malheureux !… une mère qui abandonne son enfant, quelle salope ! » C'est incroyable de parler ainsi, surtout quand on connaît les histoires réelles de mères qui sont dans la circonstance d'avoir à abandonner des enfants. Quelle peine ! Quel chagrin !

Et la plupart du temps, pour ces enfants adoptifs, plus tard, c'est un devoir ressenti inconsciemment que de rechercher leurs parents d'origine. J'en ai connu beaucoup, tous sentent que c'est leur devoir : « Ma pauvre mère, elle doit avoir dans les soixante-seize ans, si je pouvais faire quelque chose pour elle, mais je ne sais pas où elle est.

— Mais vous pouvez essayer de la retrouver.

— Ah bon, je ne savais pas. »

C'est le devoir de l'Assistance publique de leur dire ce qu'on sait de leurs parents. Il y a maintenant une Œuvre qui s'en occupe, alors que l'Assistance publique avait pris l'habitude abusive d'empêcher les enfants de retrouver leurs parents d'origine. C'est une énorme faute[43].

Quand ils se retrouvent, cela se passe de la plus tranquille des façons. La mère dit toujours la même chose, le père aussi : « Il n'y a pas un jour de ma vie où je n'ai pensé à toi.

— Voudrais-tu qu'on se revoie ?

— Oh non, ce n'est pas la peine. Je suis content de savoir que tu es heureuse. »

C'est tout. Cela se passe très tranquillement. Et c'est une paix extraordinaire, inconsciente, de s'être retrouvés, de savoir les circonstances qui ont fait que cette mère, ou ce père, n'a pas pu assumer son enfant.

Je connais une femme qui a ainsi retrouvé trace de son père. Il était enterré depuis quelques années mais, dans le patelin où il était à la retraite, tous les vieux savaient qu'il avait une fille de tel âge, qu'il avait laissée à la mère. Il en parlait tous les jours. Elle était heureuse d'entendre : « Ah, sa fille, ah, comme il nous en a parlé ! Ah, bon, c'était vous ! Ah, comme il vous aimait… Il vous avait connue, et il se disait combien il avait été idiot », etc. De les entendre raconter cela cette femme avait été très touchée. Je lui ai demandé : « Est-ce que cela a changé quelque chose dans la relation à vos fils ? » Elle était très étonnée de ma question. « C'est drôle, ce que vous me demandez. » C'était une femme heureuse, qui avait fait des études supérieures et avait une vie remplie. Elle avait deux fils et deux filles. Elle m'a dit : « C'est drôle, ce que vous me dites. Heureusement que je suis bien mariée parce que, mes fils, il y avait des moments où je ne savais plus qui c'était. Tout d'un coup, ça me prenait : "Va voir ton père, moi, je ne te connais plus." Puis, je me disais : "Mais qu'est-ce que je leur raconte ?" Et depuis que j'ai retrouvé la tombe de mon père, et que tous les vieux de ce patelin m'en ont parlé, cela ne m'est plus jamais arrivé, je n'ai plus eu de ces moments d'absence vis-à-vis de mes fils. »

Si je ne lui avais pas posé la question : « Est-ce que cela n'a pas changé quelque chose vis-à-vis de vos fils ? », elle n'aurait pas pensé à me le dire, parce que c'est une personne qui n'a pas fait de psychanalyse. Mais nous, nous savons que la relation au premier homme de la vie est toujours enfouie en nous, nous la reproduisons dans la relation génétique à nos enfants du même sexe, sur les filles la relation à la mère, et sur les fils, la relation au père. Et c'est très important.

QUESTION : *Ces enfants, adoptés dans de telles conditions, ont des difficultés considérables à l'école, dans leur formation professionnelle, dans leur acceptation en tant qu'homme ou femme. Ils s'assument très mal, font de la délinquance...*

F. D. : Ce n'est pas général. Je crois que c'est en rapport avec la famille adoptive, la façon dont on leur a parlé de l'adoption et de leurs parents d'origine, beaucoup plus qu'avec le fait d'être des enfants adoptés.

RÉPONSE : *Je suis tentée de préconiser le silence sur leur naissance.*

F. D. : Le silence sur leur naissance, cela ne changera rien du tout, pour des enfants qui ont été adoptés à quinze ou dix-huit mois, ou même à sept mois. Sept mois, cela fait quand même neuf et sept soit seize mois de vie, et les mois qui ont suivi la naissance sont très importants, que cela ait été chez une nourrice, ou que cela ait été dans une pouponnière.

Les enfants qui ont été élevés dans une pouponnière ont tout le temps envie d'un ailleurs, lorsqu'ils ont des parents adoptifs qui les couvent un peu trop. Malheureusement, les parents adoptifs ne veulent jamais mettre leurs enfants en pension, alors que ce sont des enfants qui ont besoin de la collectivité, puisque leur maman, c'était la collectivité (je ne parle pas de la mère de naissance). Et, quelquefois, ce sont des enfants qui ont été portés par une mère ayant vécu ses derniers mois de grossesse en maison maternelle — c'est-à-dire que déjà la mère avec eux était en sécurité d'être en collectivité.

Ils sont heureux quand ils sont dans une bande d'enfants. Ils fuguent de chez les parents pour aller sur le terrain vague, parce que pour se sentir maternés, ils ont besoin d'une collectivité, et pas du tout d'être adulés par un père et une mère centrés sur eux. Leur sécurité, c'est une « maman-collectivité ». Et c'est souvent par l'adoption qu'ils sont dérythmés par rapport à ce désir non reconnu normal pour eux. Ils deviennent en effet dérythmés partout, donc délinquants.

Je crois vraiment que c'est au contraire la vérité qui doit être dite, mais dite comme un dû qui appartient à cet être humain dont le fait qu'il est vivant exprime bien son désir à lui d'avoir pris corps à l'occasion d'une rencontre fécondatrice. Je crois que c'est un grand avantage d'avoir été adopté. Et c'est d'ailleurs sur cette base-là que je fais la psychothérapie de ces enfants qui sont abandonnés[44], et qui deviennent dingues dans les pouponnières, parce qu'on ne leur a pas dit la vérité. On ne leur a pas dit quel avantage c'était d'avoir survécu à un abandon dont d'autres seraient morts. Cela prouve qu'ils ont passé une épreuve extraordinaire, et qu'ils ont une très grande solidité symbolique qui honore leurs parents géniteurs. Si on les assure de cette force en paroles, on la leur donne aussi symboliquement. Mais il faut que la personne qui le leur dit soit crédible. Les enfants abandonnés sont forts du fait d'avoir supporté une épreuve, d'y avoir survécu et d'avoir ensuite consolé des parents (les parents adoptifs) qui avaient été eux-mêmes longtemps dans l'épreuve.

Je crois que cela nous mène très loin, cette question sur les enfants adoptifs. Ce qui est important, c'est la façon dont on leur dit la chose, ce n'est pas seulement de leur dire qu'ils ont une origine différente. Si on ne le leur dit pas, comme l'inconscient le sait, tôt ou tard, ou quand ils vont devenir parents, cela fera une catastrophe. Ils répéteront, comme cette jeune femme qui répétait l'abandon *in utero* de ses enfants — puisqu'il faut « fausse-coucher » pour être une vraie mère — parce qu'elle n'avait pas su, tout le temps de sa jeunesse, qu'elle était une enfant adoptée. Elle ne l'a su qu'à vingt et un ans et seulement après avoir été abandonnée par son fiancé, lui-même mis au courant lors de sa demande officielle de l'épouser ; elle l'a appris d'une façon traumatisante, humiliante pour sa génitrice, donc pour sa génitude.

QUESTION : *Comment percevez-vous le courant jubilatoire qui circule dans la salle quand vous évoquez des cas ?*

F. D. : Je crois que vous êtes contents d'entendre illustrer des connaissances de l'inconscient, qui sont simplement de la réalité abordée d'un nouveau point de vue, avec un peu de recul, alors que vous pensiez que la psychanalyse était de la haute philosophie. Non, c'est comme la botanique, cela se vit avec le moindre brin d'herbe.

QUESTION : *Ne serait-il pas utile, pour un enfant inscrit à l'école maternelle, et la fréquentant régulièrement, que son absence, quelle qu'en soit la durée — un jour, une semaine —, et quel qu'en soit le motif, ne passe pas inaperçue au nom des effectifs ? Est-ce que son absence ne devrait pas être parlée afin qu'il se sente intégré au groupe ?*

F. D. : C'est une question intéressante, qui est très bien résolue en Suisse. Je ne sais pas si vous connaissez la façon dont cela se passe là-bas. Il y a un préposé aux absents de l'école. C'est un retraité, un genre de cantonnier. J'ai vu cela un jour que j'étais en Suisse. J'ai vu un homme très gentil, qui se promenait avec une grappe d'enfants sautillant autour de lui. Il parlait, et marchait en s'appuyant sur une canne. Et l'on m'a dit que c'était le cantonnier préposé aux absents de l'école. « Et, me disait-on, tout le monde veut être absent, parce qu'il est formidable, il raconte des histoires aux enfants. » Dans les villes, c'est la même chose : il y a quelqu'un, un employé municipal, qui est chargé de passer voir les absents ; il va aux nouvelles, puisque c'est autour de l'école. Il rend visite à tout le monde, et note pourquoi l'enfant est absent. S'il est absent parce qu'il ne voulait pas s'en aller, parce qu'il attendait le cantonnier, il repart avec lui à l'école, avec la réponse que la maman était malade, ou tel autre motif.

Si le cantonnier revient avec la réponse que l'enfant est malade, la maîtresse dit : « Votre petit camarade un tel est malade, qui va en prendre des nouvelles demain ou après-demain ? » Il y a un enfant qui est chargé de passer prendre des nouvelles et de lui dire ou faire dire ce qu'on fait en classe. Chaque enfant a un petit objet qu'on a commencé en classe : « Tu le lui apporteras, tu lui diras qu'on a eu ça, et qu'on a fait ci. » Le lien est alors conservé avec l'absent, mais ça, c'est la Suisse. En France, c'est vrai, un absent, tant mieux, cela en fait un de moins !

QUESTION : *Pouvez-vous revenir sur ce que vous avez dit plusieurs fois, que l'enfant choisit de vivre et de naître dans sa famille ?*

F. D. : C'est un raccourci, bien sûr. Il peut mourir. Le fait qu'il survit, c'est que tous les jours, il reconduit en tant que sujet son contrat avec son corps[45]. C'est ça, vivre, c'est reconduire tous les jours son désir de survivre. C'est qu'il y a de quoi vivre. S'il n'y a pas de quoi vivre, alors c'est très facile au début de la vie : les enfants avalent leur langue, étouffent et meurent. Et s'il y a de quoi, ils continuent et se débrouillent toujours pour trouver de quoi vivre.

C'est cela qui est extraordinaire, il y a des enfants qui assument les pires situations. Je pense par exemple aux enfants de parents qui sont bourreaux d'enfants, qui les cassent régulièrement. Eh bien, ces enfants adorent leurs parents. Parfois, ils en ont peur, et pourtant, ils veulent retourner avec eux. « Mais si tu y retournes, ils vont de nouveau te casser !

— Ah oui... mais tout de même, tant pis ! »

Et quand on les reçoit avec leurs parents, ils sont absolument ravis en regardant la mère qui est en train de dire : « Il faut que le juge me la rende, je ne peux pas m'en passer. » Elle a avec elle un autre enfant. On lui dit : « Mais toi, qu'est-ce que tu penses du retour de ta sœur ?

— Oh, moi, c'était pareil quand j'étais petit, maintenant, vous comprenez, je passe par-dessus le balcon et puis je m'en vais, j'ai un AMO[46] ; alors, quand elle commence à me battre je vais chez lui. Je vais chez mon AMO ; moi je suis grand. J'ai sept ans. Avant, quand j'étais petit, c'était pareil. Mais c'est ma mère !

— Alors, qu'est-ce que tu penses si on rend ta sœur à ta mère ?

— Oh, eh bien, ça va recommencer !

— Ça va recommencer quoi ?

— Eh bien, elle la battra, elle ne peut plus s'arrêter, alors ça casse, il faut aller à l'hôpital... ! »

Voilà. Cet enfant-là, très intelligent, était venu, la tête avec les cheveux peints en deux couleurs, et les ongles noirs et rouges.

« Qu'est-ce que c'est ? Tu es une vraie caricature !

— C'est ma mère, qu'est-ce que vous voulez !

— Ta mère ?

234

— Oui, elle veut essayer ses rouges à ongles et ses teintures de cheveux sur moi. Qu'est-ce que vous voulez, les femmes ! Au moins, quand elle fait ça, elle est contente, elle me bat pas, la pauvre ! »

Un enfant merveilleux, sept ans, fils d'un maghrébin, et d'une plantureuse femme blonde, on ne peut plus blonde. Vous avez vu à quel point les gens de couleur aiment avoir des femmes blondes. Celle-là était en plus décolorée et elle essayait sa décoloration sur des mèches de son fils.

Je lui ai dit : « Et tes camarades, qu'est-ce qu'ils disent ?

— Mes camarades, ils savent ce que c'est que les mères ! »

Sa petite sœur avait deux ans et demi. La mère était venue me voir parce qu'on avait demandé au service de neuropsychiatrie de l'hôpital de voir ce cas. Elle venait tous les jours supplier la surveillante qu'on lui rende son enfant, ce que le juge interdisait parce que c'était la troisième fois que la petite était admise à l'hôpital avec des fractures de membres. La mère pleurait dans mon giron, apitoyant tout le monde : « Je l'aime tellement, cette petite, regardez ce que je lui ai fait. » Et elle montrait en effet des

trésors de robes. Elle habillait toutes les poupées de sa fillette et lui faisait à elle aussi le même
modèle. Alors, confrontation avec la mère. La
petite, ravie : elle aurait regardé l'apparition de
la Vierge, cela n'aurait pas été mieux. Je deman-
dai : « Comment cela se passe si elle rentre chez
vous ? »

Elle ne m'écoutait pas. Elle parlait à son
enfant, au lieu de me répondre, et lui disait :
« Tu sais, je t'ai préparé une petite robe. Tu
verras comme elle est mignonne, avec des
petits nœuds par-ci, des petits nœuds par-là. »
(L'enfant était là irradiée d'amour béat.) « Et
puis, j'ai habillé ta poupée pareil. Alors quand
tu reviendras, tu auras ta petite robe, et puis la
poupée sera pareille. La maman et la fille seront
pareilles. »

Vous voyez le niveau infantile de cette femme
adulte, une superbe créature du point de vue
vétérinaire, très bonne couturière et paraît-il
aussi très bonne cuisinière, mais complètement
incapable d'élever une enfant. Alors, je lui ai fait
continuer un peu son mimodrame : « Racontez.
Si on vous la rend, comment cela va se passer ?
Mettons que ce soit quatre heures de l'après-
midi.

— Tu auras ton petit goûter, tu auras ton

petit yaourt, tu auras… etc. Et puis, il faudra dîner. Et puis, papa, il va rentrer.

— Mais papa, c'est qui ?

— Oh, c'est pas son père parce que vous savez, avec les Maghrébins, ça change. Mais ils sont tous très gentils.

— Bon.

— Ils se connaissent tous.

— Tu entends, dis-je à la petite fille, ta maman dit que celui qu'on dit être ton papa, ce n'est pas celui dont le nom est sur le dossier. Alors (en me tournant vers la mère), qui est-ce ? Comment s'appelle-t-il ? » La maman donne le vrai nom. La petite répète le nom, très intéressée par le vrai nom de son géniteur. « Et votre fils ?

— Ah, c'était un autre, mais ils se connaissaient. Ils étaient du même village. »

Puis, elle reprend : « Alors il faudra se coucher, puis mademoiselle va commencer ses petits caprices. Alors, il faut bien que j'y arrive, c'est la mère qui doit avoir raison, n'est-ce pas, docteur ? Il faut avoir de l'autorité, alors il lui faudra sa petite fessée. » Et la voilà qui se met à mimer une fessée à l'enfant sur ses genoux, de plus en plus fort… puis à dire : « Il faut me la retirer, il faut me la retirer, je vais la tuer !

— Vous voyez, vous n'êtes pas encore mûre pour reprendre cette enfant. Il faut attendre qu'elle puisse, comme votre fils, passer par le balcon. » C'est ce que j'ai expliqué à la fillette aussi intelligente que son frère et on ne l'a pas rendue à sa mère. Comme me disait le fils : « Heureusement qu'on est au rez-de-chaussée ! » Il se sauvait chez son AMO. Il aimait beaucoup sa mère, et la fillette était fascinée par elle.

À partir du moment où l'enfant peut se défendre, c'est très bien. Ce ne sont pas des femmes qui ont démérité. Elles sont incapables d'élever leurs enfants. D'ailleurs, généralement, ce sont elles-mêmes des femmes de l'Assistance publique qui ont besoin de beaucoup de tendresse, beaucoup d'imaginaire de vie maternelle, qui n'ont pratiquement aucune maîtrise d'elles-mêmes. C'est triste de voir que, souvent, on leur impose une longue séparation des enfants, ou même des déchéances parentales, alors que si on attendait quelques années… Ces enfants, on peut les aider à faire face à cette réalité en ne dépréciant pas pour autant les parents qu'ils ont choisis pour naître et survivre…

Mais il est tout de même étonnant de voir à quel point les enfants qui ont des parents violents au-delà du permis en sont érotiquement amoureux. Ce sont des parents qui leur donnent des sensations fortes et, à cause de ça, ils sont très attachés à eux.

C'est très difficile, ce problème. Mais les personnes latérales peuvent faire beaucoup, les voisins, les voisines, etc. en disant par exemple : « Écoutez, cela ne va plus. L'entraide dans l'éducation, cela manque. Donnez-la-moi pour ce soir, votre fille, ça vous reposera, ou pour une semaine. Chez moi, elle sera moins énervée ; vous-même aurez moins de souci et cela ira mieux. On peut peut-être vous aider toutes les deux… »

Ce n'est ni bien, ni mal, c'est triste. Il faut aider ces parents immatures et pourtant capables de mettre des enfants au monde, eux-mêmes capables de survivre. Car si on les retire aux parents, cela en fait des enfants marqués par l'opprobre, alors qu'il n'y a pas matière à opprobre. La plupart du temps c'est inconscient, c'est immature, mais ce n'est pas pervers. Si cela provient de parents sexuellement pervers, cela aussi doit se dire et non se taire. Quant aux parents alcooliques, leur intoxication est secondaire à un état dépressif. Ils ont besoin d'aide mais non de mépris, et les enfants peuvent être secourus à temps.

QUESTION : *Divorcée, j'ai élevé seule mes filles, leur père n'ayant pas manifesté d'intérêt particulier pour elles. Elles ont dix-sept et vingt-six ans. Puis-je dire le fond de ma pensée sans détruire l'image du père ?*

F. D. : C'est fini. Le fond de votre pensée, je ne sais pas ce que c'est. Vous pouvez peut-être aller parler avec quelqu'un. En effet, cela n'a pas duré longtemps entre vous, mais cela ne veut pas dire que cet homme ait démérité. Il n'a pas su rester responsable de ses filles, cela ne veut pas dire que, si elles le recherchent, cela ne se passera pas très bien avec lui. Je n'en sais rien. Je ne peux pas répondre comme ça à une chose pareille. Vous pourriez aller parler avec une psychanalyste.

QUESTION : *Beaucoup de parents abandonnent leurs enfants adolescents, pensant qu'ils peuvent se débrouiller dans la vie, même s'ils n'ont aucune indépendance matérielle. J'ai l'attitude tout à fait inverse, mais je me demande si je ne suis pas trop possessive, en voulant que mes enfants dépendent encore de moi. Qu'en pensez-vous ?*

F. D. : Cela se prépare, une adolescence, cela se prépare par une autonomie quotidiennement croissante. Ce n'est pas tout d'un coup qu'on peut dire à l'adolescent ou adolescente : « Maintenant, débrouille-toi. » C'est un moment où l'enfant a grand besoin de connaître comment le parent du même sexe s'est débrouillé avec l'apparition de sa sexualité intensive. Des émois violents qu'ils ont dû connaître, ce père et cette mère, comment à son âge se sont-ils débrouillés ? Et lui (ou elle), comment réagir aux autres, à ceux de l'autre sexe ? Comment faire pour l'argent ? Par les petits métiers ? Comment en gagner pour s'autonomiser ? etc. Donc, ce n'est pas le moment d'abandonner comme ça tout d'un coup une fille ou un garçon après l'avoir traité jusqu'à quatorze ans comme un enfant de six ou sept ans, c'est-à-dire sous la dépendance parentale.

Le travail important à partir de six, sept ans, c'est d'armer un enfant pour qu'il puisse se faire des amis de son âge et se faire apprécier par les autres adultes dans la société. Par exemple, dès huit, neuf ans, une fille peut apprendre à tout faire dans une maison. À douze, treize ans, ce n'est pas bon pour elle de le faire seulement dans sa propre famille, et c'est merveilleux qu'elle aille aider une autre mère qui en a besoin si elle le fait avec joie ; elle se fera apprécier et elle fera apprécier sa mère à travers elle. Et la même chose pour un fils : si le père a pu armer son fils — qu'il sache laver les carreaux, bricoler, briquer le sol, faire les courses, etc. —, il ira rendre service à une autre personne que sa mère, laquelle aura des compliments sur son fils, et il apprendra ainsi à se faire apprécier en société.

C'est après, à quatorze, quinze ans, que, devenant pubère, c'est-à-dire intéressé par la sexualité, ému par le passage d'autres êtres dans le rayon de son attention sensorielle, il aura à ce moment-là l'envie de devenir responsable et l'envie de quitter ses parents pour, comme ils disent, « sortir ».

Le mot clé des adolescents, c'est « sortir », sortir de ce nid que les parents leur ont fait, mais sortir armés pour la vie et sachant les dangers qu'il y a à sortir avant de savoir s'assumer[47].

Donc, l'adolescence, c'est un moment de confirmation qu'on peut assumer, mais il faut que cela ait été préparé. Cela exclut les deux extrêmes, soit mettre à la porte en disant « maintenant, débrouille-toi », soit continuer à traiter l'enfant sans budget personnel, en lui donnant de l'argent au jour le jour et en choisissant ses vêtements, en lavant son linge sale, en briquant ses chaussures, car ça, c'est vraiment en faire des « Chéri » de Colette[48], mais pas des garçons ; et pour les filles, c'est en faire des femmes qui auront besoin de se marier pour être prostituées légales parce qu'elles ne savent pas gagner leur vie, ni aimer.

Ce qui est important, c'est l'éducation entre six et treize ans, c'est préparer l'enfant à avoir des armes pour se faire apprécier par d'autres que sa famille, et savoir qu'au moment de la puberté, sauf exception (mère malade, etc.), il est dangereux pour les enfants qu'ils se sentent indispensables à leur mère. Il faut qu'elle leur dise : « Écoute, c'est moi la mère, ici ; c'est moi la femme ; tu m'as rendu service, tu sais le faire, mais je n'ai plus besoin de toi, va chez les autres faire apprécier tes talents. » C'est le renvoyer montrer ses talents ailleurs.

Il voudrait garder sa mère sous sa coupe : « Mais je vais te le faire, maman.

— Non, va avec les enfants de ton âge, va avec les autres familles. »

À treize ans, c'est comme ça qu'il faut parler. À treize ans, si l'enfant des deux sexes est armé pour la société, c'est un moment un peu difficile pour les mères ou les pères, car la maison est un peu un hôtel meublé. Il faut le savoir. C'est un moment à passer. « La maison est un hôtel meublé : ils viennent pour manger, et après cela ils ne pensent qu'à sortir » se plaignent les parents. Mais réjouissez-vous, ils se font des amis, et ils les amènent à la maison très facilement. Et ça, c'est très important. « Il n'y a plus à manger ? Que tes amis apportent pain et saucisson, vous vous débrouillerez. »

Ainsi, l'enfant devient sociable s'il sait qu'à la maison ses amis sont accueillis, qu'il est accueilli chez les autres, et que ses parents n'en prennent pas ombrage : « Ah, tu aimes mieux ces gens-là qui vivent autrement que nous ?... » On le dit, et après on ajoute : « Tu vois, je suis bête, je suis jalouse. » C'est très bien, cela aide beaucoup, quand la mère peut dire ça : « Tu vois, je suis jalouse des amis que tu te fais à l'extérieur ; n'en tiens pas compte. »

C'est ça, l'adolescence. C'est difficile à vivre, mais ce n'est pas les retenir ou les mettre à la porte, ce n'est ni l'un, ni l'autre.

Je n'ai peut-être pas répondu à toutes les questions. Je l'ai fait le mieux possible.

Notes

1. L'intitulé complet de cette journée organisée par le Théâtre-Action Centre de création de recherche et des cultures de Grenoble était : « Le Dire et le Faire. Tout est langage. L'importance des paroles dites aux enfants et devant eux. » La transcription de cette journée fut ensuite publiée et diffusée par les organisateurs. Et c'est d'après ce texte que le livre *Tout est langage* a été réalisé et édité en 1987, moyennant d'ailleurs certaines retouches qui introduisent un écart parfois non négligeable avec la version originale. Mais supposant, d'après l'Avant-propos, que ces modifications pouvaient avoir été apportées par Françoise Dolto elle-même, nous avons choisi de les laisser telles quelles, y compris là où le texte initial de transcription pouvait paraître plus explicite ou plus direct.

2. IMP : Institut Médico-Pédagogique.

3. Françoise Dolto est assurément fondée à dire avoir été précurseur dans la prise en compte de la vie fœtale. C'est dans cette direction, en effet, que, sur la base de son expérience, elle a cru pouvoir prolonger le domaine d'investigation de la psychanalyse, jusqu'à considérer l'importance de ce qui était lié à l'archaïcité intra-utérine (voir à titre d'exemple *L'Image inconsciente du corps*, Le Seuil, 1984, pp. 209-210).

À l'époque, comme elle le dit, Françoise Dolto s'avançait dans cette voie avec le risque de s'attirer les sourires et l'ironie de ceux qui trouvaient cela fantasque et farfelu, y compris peut-être dans l'orbe analytique. Cela ne l'a pas empêchée de recueillir attentivement ce qui pouvait confirmer son hypothèse sur l'importance subjective de la gestation, notamment les perceptions du fœtus, l'importance de la modulation des voix entendues (de la mère, du père), etc. (Voir par exemple, « Naissance », in *La Difficulté de vivre*, Gallimard, 1995, pp. 16-76, et *La Cause des enfants*, Laffont, 1985, Ire partie, chap. 5, et IIe partie, chap. 5.)

Au-delà, il est d'ailleurs manifeste que la relation entre la mère et l'enfant qu'elle porte en reçoit chez Françoise Dolto une valeur emblématique tout à fait particulière, non pas tant au sens où s'y jouerait on ne sait quelle idylle fusionnelle, que parce que c'est déjà l'amorce de ce qui fonde toute communication interhumaine, y compris dans ses effets d'inconscient. En ce sens, et paradoxalement, la relation au fœtus est comme le modèle de toute relation interhumaine authentique, de toute intersubjectivité, y compris là où elle peut être parlante (voir *La Difficulté de vivre*, *op. cit.*, p. 50).

Il est donc particulièrement piquant de voir à présent reconnue jusque dans le champ médical — qui s'en gaussait naguère — l'importance de cette prise en compte du vécu prénatal, au point que se soit développée une médecine spécifique du fœtus. Quant aux intuitions qui étaient celles de Françoise Dolto à partir de la psychanalyse, elles ont encore trouvé depuis un autre terrain de confirmation, un autre prolongement, dans la mise en œuvre de l'haptonomie (pré- et périnatale).

4. « Stalag » est le terme qui désignait pendant la Seconde Guerre mondiale les camps allemands où étaient internés les prisonniers de guerre non officiers, l'« Oflag » (de *Offizierlager*) étant réservé aux officiers.

5. Courant de la musique « pop » né dans les années soixante-dix. Françoise Dolto en parle évidemment ici au titre de la mode outrancière et provocante (cheveux teints, vêtements déchirés, etc.) ayant accompagné ce mouvement.

6. Ce que Françoise Dolto entend par le terme d'école digestive est un mode d'enseignement qui, dans un processus de logique binaire (vrai/pas vrai), fait appel aux seules pulsions orales ou anales, et peut, de ce fait, constituer une véritable

aliénation, pour certains enfants. Voir le développement de cette critique dans *La Difficulté de vivre, op. cit.*, pp. 311-326. Voir aussi *Séminaire de psychanalyse d'enfants*, t. I, Le Seuil, 1982, pp. 88-89.

7. Outre cette proximité de son domicile, Françoise Dolto évoque ailleurs comment elle a été amenée à collaborer directement avec l'Institut des sourds et muets de la rue Saint-Jacques. Sur son travail à ce niveau du handicap sensoriel, voir notamment *Solitude*, Gallimard, 1994, pp. 342 et suivantes.

8. Sous son aspect apparemment anecdotique ou accidentel, ce récit évoque cependant ce qui est une idée majeure de Françoise Dolto en ce qui concerne l'entrée dans la psychose, ou dans l'autisme : qu'une rencontre symbolique, signifiante, ait pu ne pas s'effectuer. Voir aussi *Séminaire de psychanalyse d'enfants, op. cit.*, t. I, chap. 11 et 12. Et sur le terme — et le thème — de la rencontre ainsi conçue, on peut se reporter notamment au texte « La rencontre, la communion interhumaine et le transfert dans la psychanalyse des psychotiques », in *Le Cas Dominique*, Le Seuil, 1971, pp. 193-223.

9. Françoise Dolto revient encore sur ce cas un peu plus loin (pp. 31-32), après en avoir réexprimé l'enseignement théorique important — sur le rôle imaginaire et symbolique du tiers — à plusieurs reprises (pp. 24-25 et 29). Le cas de cet enfant est également traité dans *Séminaire de psychanalyse d'enfants, op. cit.*, t. I, pp. 152-153.

10. Cf. Ancien Testament, Livre de Daniel, VI, 14.

11. L'enfant dont il est question ici est Jean, le fils aîné de Françoise Dolto. Dans *Les Chemins de l'éducation*, Gallimard, 1994, pp. 328-330, à partir de ce même souvenir familial, on peut lire une réflexion de Françoise Dolto sur l'éducation, notamment sur les risques pour le développement d'un enfant s'il est aliéné dans l'image d'un autre qu'on lui donne en exemple tout le temps.

12. Cela doit s'entendre comme une allusion à l'image inconsciente du corps, en tant que distincte de l'image spéculaire visible, reflétée par le miroir. Sur cette question, cf.

L'Image inconsciente du corps, *op. cit.*, pp. 147-163, et *L'Enfant du miroir*, Françoise Dolto, Juan-David Nasio, Rivages, 1987 ; Payot, 1992.

13. Dans le texte du mythe (Ovide, *Métamorphoses*, III, 339-510), c'est au contraire Narcisse qui méprise l'amour d'Écho et auquel la parole de l'oracle imposera le destin qui l'a rendu célèbre. Il n'est pas sûr qu'il faille simplement considérer comme une erreur l'hypothèse proposée ici par Françoise Dolto concernant Narcisse. C'est plutôt le témoignage de sa façon intuitive, très personnelle, d'avancer une interprétation, comme un savoir direct et condensé sur des faits pris dans des champs les plus divers, au-delà même de sa stricte pratique de psychanalyste. Sur ce même mythe, cf. *La Cause des adolescents*, Laffont, 1988, pp. 31-32.

14. Inutile de souligner davantage l'importance considérable du dessin (et du modelage) dans la technique mise au point par Françoise Dolto dans son travail analytique avec les enfants. On en trouve une présentation formelle dans *Au jeu du désir*, Le Seuil, 1981, chap. 4, pp. 69 et suivantes. Françoise Dolto explique ailleurs comment l'utilisation du dessin lui a été inspirée par Mme Morgenstern (cf. *Quelques pas sur le chemin de Françoise Dolto*, Le Seuil, 1988, pp. 11 et suivantes). Pour ce qui est de la possibilité d'interroger l'enfant, comme ici, sur « où il serait dans le dessin », cela se fonde sur ce qui est posé comme tendance à l'anthropomorphisme (cf. *L'Image inconsciente du corps*, *op. cit.*, pp. 7, 15, 28). Rappelons également que pendant des années, Françoise Dolto a conduit un séminaire sur le dessin d'enfant, dont l'enseignement est encore inédit.

15. Françoise Dolto a tout à fait repris à son compte, on le voit ici, la notion freudienne de pulsions de mort, dans leur opposition aux pulsions de vie. Néanmoins, elle en a fait une élaboration qui lui est propre. On en trouvera une indication dans *L'Image inconsciente du corps*, *op. cit.*, p. 52, note 1, et plus encore, dans *Séminaire de psychanalyse d'enfants*, *op. cit.*, t. I, chap. 13, pp. 162, 167 et suivantes. À l'école freudienne, Françoise Dolto avait d'ailleurs consacré toute une année

(1970-1971) de son séminaire à cette question des pulsions de mort, travail encore inédit.

16. On sait que la traduction française du « Ichideal » freudien permet de faire jouer et d'accentuer une distinction entre Moi Idéal et Idéal du Moi, distinction promue en France notamment par Lagache (voir J. Laplanche et J. B. Pontalis, *Vocabulaire de la psychanalyse*, PUF, pp. 255 et suivantes). C'est dans cette orientation que Françoise Dolto a repris cette notion de Moi Idéal. Une note de *L'Image inconsciente du corps, op. cit.*, p. 29, précise sa conception. On peut encore se référer sur ce point à *Au jeu du désir, op. cit.*, chap. 4, pp. 87-94. Voir également dans *Le Cas Dominique, op. cit.*, Appendice, pp. 229 et suivantes.

17. Ces médaillons qui ornent l'hôpital des Innocents à Florence datent de 1463. Ils sont l'œuvre non de Luca, comme l'indique d'abord la transcription de la conférence, mais de son neveu Andrea della Robbia (1435-1525).

18. Françoise Dolto revient ailleurs sur la manière dont les enfants étaient considérés et éduqués autrefois, par exemple dans *La Cause des enfants, op. cit.*, chap. 1, « Le corps déguisé ». Voir aussi son entretien sur France Culture avec Philippe Ariès dans *La Difficulté de vivre, op. cit.*, pp. 433-452.

19. Sur ce même thème du potentiel imaginatif et du désir créateur qui pousse l'être humain à transgresser le possible, de sorte que l'impossible advienne, cf. *Les Chemins de l'éducation, op. cit.*, pp. 353-354 et dans *Solitude, op. cit.*, le chapitre « Sciences et techniques de l'homme : éloge de l'imaginaire », pp. 255-264.

20. Pierre de Coubertin (1863-1937) est surtout connu comme le créateur des Jeux olympiques modernes dont la première édition eut lieu à Athènes en 1896. Il s'exprimera essentiellement par ailleurs en tant que réformateur de l'éducation.

21. Voir aussi plus loin, pp. 126 et suivantes. La Maison Verte, lieu d'accueil et de socialisation, a été fondée à l'initiative de Françoise Dolto en 1979, dans le XVe arrondissement de Paris. Lire notamment *La Cause des enfants, op. cit.*, IVe partie, chap. 4, « Nous irons à la Maison Verte ».

22. Notion spécifique forgée par Françoise Dolto et correspondant à la nécessité pour le sujet enfant de se savoir, le moment venu, n'être que d'un seul sexe, et donc dépourvu des attributs et prérogatives de l'autre. L'élaboration de cette notion remonte chez Françoise Dolto à sa thèse (1939), *Psychanalyse et Pédiatrie*, Le Seuil, 1971. Elle est également traitée en appendice au *Cas Dominique*, *op. cit.*, pp. 232-236. Et Françoise Dolto y revient encore, de façon extensive, dans *L'Image inconsciente du corps*, *op. cit.*, pp. 159, 161 et 164-185.

23. «Circuit long» doit ici s'entendre pris dans l'opposition thématique circuit court/circuit long (sous-entendu : du désir, de la libido, de la pulsion), le passage de l'un à l'autre — du circuit court au circuit long — correspondant à l'accomplissement symbolique, notamment d'une castration. Ainsi «la fonction symbolique, spécifique de l'être humain, permet de substituer au plaisir d'un circuit court du désir, sensuel, immédiat, un circuit plus long, qui médiatise les pulsions et leur permet de retarder l'obtention du but premier, pour un nouveau plaisir à découvrir». *Au jeu du désir*, *op. cit.*, p. 286.

24. Il s'agit du deuxième Congrès mondial de psychiatrie du nourrisson, qui s'est déroulé à Cannes du 29 mars au 1er avril 1983 sous le titre «Le bébé dans un monde en changement».

25. En clinique psychanalytique, l'insomnie peut être un symptôme révélateur d'une lutte entre le narcissisme primaire et les pulsions de mort. Cf. *Séminaire de psychanalyse d'enfants*, t. I, *op. cit.*, p. 173.

Sur le thème plus général des troubles du sommeil, cf. *Les Étapes majeures de l'enfance*, Gallimard, 1994, pp. 97-113.

26. Il est fait ici allusion au cas de Corinne, jeune fille sourde et aveugle de naissance, hospitalisée en psychiatrie, dont Françoise Dolto a conduit le traitement psychanalytique à l'hôpital Trousseau une fois que le transfert fut noué autour, justement, de l'olfaction. Cf. *Séminaire de psychanalyse d'enfants*, *op. cit.*, t. II, pp. 72-80, et *Solitude*, *op. cit.*, pp. 348-350, 356-357.

27. Cette thématique de la «circoncision du cœur» s'est

trouvée bien évidemment accentuée dans la perspective néo-testamentaire. Elle est tout particulièrement conforme à l'inspiration des écrits de Paul (cf. Romains II, 29). Mais en tant que telle, elle est déjà présente explicitement dans l'Ancien Testament (par exemple, Jérémie, IV, 4).

À propos du « cœur », Françoise Dolto en a repris la portée métaphorique dans « Le cœur, expression symbolique de la vie affective », in *La Difficulté de vivre, op. cit.*, pp. 171-175.

28. Françoise Dolto n'a cessé d'adopter une position critique par rapport à l'objet transitionnel, du moins là où, méconnaissant l'intuition originale de Winnicott, on serait allé jusqu'à préconiser l'usage dudit objet. Alors qu'il correspond plutôt au ratage d'une transition qui ne s'est pas effectuée, ou incomplètement. L'affirmation qu'il n'y a de véritablement transitionnel que le mot témoigne ici pleinement de ce qui motive cette position. C'est par le mot et la parole que le sujet enfant, déjà par son babil, pourra vraiment être délivré et se délivrer de ses attaches « substantielles ». Voir par exemple *L'Image inconsciente du corps, op. cit.*, pp. 64 et suivantes.

29. Au départ, ce sont des enfants abandonnés, révoltés et négatifs à tout, qui donnèrent à Françoise Dolto l'idée d'instaurer le paiement symbolique, preuve de leur besoin que leur refus soit écouté. Françoise Dolto élabora cette invention technique et par la suite la généralisa. Le contrat du paiement symbolique s'établit entre le psychanalyste et l'enfant quand, au fil des entretiens préliminaires, l'enfant manifeste son accord d'être aidé. Caillou, faux timbre ou pièce de dix centimes, le paiement symbolique n'est ni un cadeau ni un objet partiel, il n'a pas à être interprété. De séance en séance, il témoigne du désir de l'enfant d'assumer personnellement son traitement, Cf. *Séminaire de psychanalyse d'enfants, op. cit.*, t. II, pp. 107-124, et *La Difficulté de vivre, op. cit.*, pp. 262-263.

30. « Une infinie tendresse » a été réalisée en 1969 par Pierre Jalland (Films 13/Ariane Films).

31. Ginette Raimbault, *L'Enfant et la mort. Des enfants malades parlent de la mort : problèmes de la clinique du deuil*, Privat,

1989. L'auteur, psychanalyste dans un service parisien de pédiatrie, expose sa clinique, et des entretiens libres avec des enfants hospitalisés atteints, pour la plupart, de maladies métaboliques, et qui ont une connaissance claire de leur mort à venir.

32. « Un enfant peut mourir parce qu'on ne lui a pas donné sa fierté d'être au monde. Ce n'est pas dévalorisant d'avoir des parents qui n'ont pas pu aller plus loin que d'assumer un enfant jusqu'à sa naissance, puis l'abandonner. » *Séminaire de psychanalyse d'enfants*, *op. cit.*, t. I, p. 18.

Ce propos de Françoise Dolto illustre bien sa profonde conviction et son exigence éthique qui l'ont poussée à accepter de conduire la cure d'enfants précocement abandonnés. Cf. *Solitude*, *op. cit.*, pp. 177-179. C'est à partir de 1973 qu'elle s'occupa ainsi d'enfants placés dans une pouponnière de la région parisienne. Elle les recevait, accompagnés par leur maternante (auxiliaire de puériculture), à sa consultation de l'hôpital Trousseau et conjointement au Centre Étienne-Marcel. Voir aussi note 43.

33. L'élaboration proposée ici par Françoise Dolto apporte un élargissement à la question du « rêve de la mort des personnes chères », étudiée par Freud dans la catégorie plus générale des rêves typiques. Cf. Sigmund Freud, *L'Interprétation des rêves*, PUF, 1971, pp. 210-240 et 339 et suivantes.

34. On trouvera un exposé circonstancié de cette enquête dans *La Cause des enfants*, *op. cit.*, pp. 275-281.

35. Dans l'émission de France Inter « Lorsque l'enfant paraît » (1976-1978), Françoise Dolto répondait aux lettres d'auditeurs anonymes qui la questionnaient sur les sujets les plus divers concernant l'enfance. Une partie du contenu de ces émissions a été publiée, sous le même titre, et en trois tomes par Le Seuil, 1977, 1978, 1979.

36. En 1979, Françoise Dolto a consacré tout un article sur le vocabulaire de la parenté — « père de naissance », « mère de naissance » — qui appartient à l'ordre vital et garantit la cohésion narcissique de l'enfant. Elle distingue ces mots, inscrits

dans la réalité légale ou génétique, des vocables « maman », « papa » qui, eux, renvoient plutôt à des modalités relationnelles. Cet article est repris dans *Les Chemins de l'éducation*, *op. cit.*, pp. 35-44. Voir aussi *Les Étapes majeures de l'enfance*, *op. cit.*, pp. 49-50.

37. Voir aussi plus loin pp. 190 et suivantes. Sur la question de la séparation des parents, on peut consulter *Quand les parents se séparent*, Le Seuil, 1988, qui est une longue interview de Françoise Dolto par Ines Angelino sur la crise de la cellule familiale avant, pendant et après le divorce, et sur les souffrances et les non-dits maintenus au nom du « bien » de l'enfant. Les positions de Françoise Dolto concernant cette véritable névrose familiale sont toujours fondées sur son expérience clinique.

On trouvera également une réflexion sur le même sujet dans *Les Chemins de l'éducation*, *op. cit.*, pp. 213-228, « Les parents séparés », et pp. 229-236, « Que dire aux enfants quand les parents divorcent ? ».

38. Françoise Dolto a toujours accordé beaucoup d'importance à cette vertu du silence du patient, peut-être en particulier dans les cures d'adolescents. Voir par exemple la façon dont elle en a rendu compte lors d'un colloque sur l'éthique de la psychanalyse (1982), actes édités par Evel, pp. 140-149.

39. Cette notion de schéma corporel prend tout son sens dans la théorisation de Françoise Dolto par l'opposition constituante avec l'image du corps (comme inconsciente), opposition qui sert à caractériser l'image contradictoirement au schéma. Ainsi, le schéma corporel n'est pas l'image du corps. Cf. *L'Image inconsciente du corps*, *op. cit.*, pp. 17-34.

40. En juin 1980, Monique Pelletier, ministre délégué chargé de la Famille et de la Condition féminine, a réuni un groupe de réflexion composé de personnalités qualifiées, intervenant à titre personnel, et qui avait comme mission de faire le point sur la garde des enfants et de sensibiliser les personnes concernées (parents, avocats, experts, magistrats) aux conséquences de leurs décisions à tous les stades de la procédure et

après le divorce. Françoise Dolto était seule psychanalyste parmi des psychologues, psychiatres, magistrats et hauts fonctionnaires dans cette commission qui en mars-avril 1981 a établi un rapport sur la garde alternée.

41. Cela est une illustration concrète de la façon dont s'opère, selon Françoise Dolto, la mise en place même du langage chez l'enfant, par le croisement entre le mot entendu, perçu, et les émois éprouvés qui y sont liés, ce qui vaut aussi comme une rencontre signifiante, fondatrice de signifié pour le sujet. C'est l'un des éléments de base de ce qui constitue chez Françoise Dolto une théorie du langage et de sa mise en œuvre. Voir par exemple *L'Image inconsciente du corps*, *op. cit.*, p. 44.

42. Françoise Dolto reprend largement cette réflexion sur la relation entre l'enfant adopté, ses parents géniteurs et ses parents légaux, dans *Les Chemins de l'éducation*, *op. cit.*, pp. 237-252. Sur ce même thème de l'adoption, il est intéressant de rappeler les cas cliniques qui sont exposés dans le *Séminaire de psychanalyse d'enfants*, *op. cit.*, t. II, pp. 97-98 et dans *Dialogues québécois*, Le Seuil, 1987, pp. 167-168.

43. La question posée par Françoise Dolto concerne le cas d'adoption plénière, qui est possible si l'enfant est orphelin, de parents inconnus, ou abandonné, et qui est mise en place soit par les services de l'Aide sociale à l'enfance, soit par une œuvre habilitée. La loi du 11 juillet 1966 indique clairement que l'adoption plénière a pour effet de rompre définitivement tout lien entre l'enfant et sa famille d'origine. Cette législation étant loin de susciter une approbation sans réserve, le ministère des Affaires sociales et de la Solidarité nationale a demandé à la DDASS « de cesser d'opposer un refus systématique aux requêtes des anciennes pupilles de l'État » (R. M. numéro 6804, *Journal officiel*, p. 1004, débat de l'Assemblée nationale du 8/3/1982). Il est certain que la difficulté, dans bien des cas, dans la recherche de la famille originaire et la lenteur administrative n'incitent point l'Assistance publique à favoriser ces requêtes. Françoise Dolto faisait sûrement allusion à une œuvre

d'adoption dont la souplesse permettait des démarches plus suivies et peut-être plus efficaces dans la réalité.

44. Après avoir quitté le Centre Étienne-Marcel, Françoise Dolto a continué à recevoir les enfants de pouponnière, dans le cadre de la « consultation des nourrissons » qu'elle a instaurée deux ans avant sa mort, et qui a été son ultime activité, de janvier 1986 à juillet 1988. Les enfants venaient une fois tous les quinze jours. Quelques analystes y assistaient, actifs, sollicités souvent soit par Françoise Dolto, soit par l'enfant.

45. C'est une idée forte, essentielle, dans la pensée de Françoise Dolto. On la retrouve formulée de façon semblable en conclusion de son livre théorique sur l'image du corps : « [...] c'est de seconde en seconde que le narcissisme d'un sujet reconduit le contrat du sujet désirant avec son corps. C'est cela vivre, pour un être humain. » *L'Image inconsciente du corps*, *op. cit.*, p. 370.

46. En fait, le sigle complet est AEMO : Action Éducative en Milieu Ouvert. Cette mesure fut mise en place dans le cadre de la protection judiciaire des mineurs par l'ordonnance de février 1945. C'est une mesure d'observation, préventive et temporaire, qui, après signalement, et sur mandat de l'Aide sociale à l'enfance ou du juge des enfants (cf. aussi la loi du 4 juin 1970 sur l'autorité parentale, Section II), assure un suivi dans le quotidien familial des enfants en difficulté sociale et/ou relationnelle, ou encore en danger physique ou moral.

47. Françoise Dolto aborde ailleurs cette notion clé des adolescents, qu'elle considère, entre autres, comme un désir chez eux d'échapper à la solitude qu'ils ressentent à l'intérieur de la maison, à un âge où la résolution du complexe d'Œdipe est définitive. Cf. *Solitude*, *op cit.*, pp. 198 et 201, et aussi *Dialogues québécois*, *op. cit.*, pp. 209-210 et 212-214.

48. S. G. Colette, *Chéri*, Fayard, 1984.

Index

Index thématique

261

Index des noms propres

Index des cas et exemples cités

Table des matières

Françoise Dolto : *bibliographie*

AUX ÉDITIONS GALLIMARD
dans la même collection

Articles et conférences :

1 — Les étapes majeures de l'enfance
2 — Les chemins de l'éducation
3 — Tout est langage
4 — La difficulté de vivre
5 — Le féminin

Essais :

Solitude
Sexualité féminine. La libido génitale et son destin féminin
Le sentiment de soi. Aux sources de l'image du corps

Entretiens :

1 — Destins d'enfants — Adoption, Familles d'accueil, Travail social (Entretiens avec Nazir Hamad)
2 — Les Évangiles et la foi au risque de la psychanalyse ou La vie du désir (en collaboration avec Gérard Sévérin)
3 — L'enfant, le juge et la psychanalyse (Entretiens avec Andrée Ruffo)
4 — Les images, les mots, le corps (Entretiens avec Jean-Pierre Winter)

dans la collection « Folio essais » :

Les chemins de l'éducation
Les étapes majeures de l'enfance
Sexualité féminine. La libido génitale et son destin féminin
Solitude

dans la collection « Le Petit Mercure » :

Correspondance père/fille (1914-1938)
Kaspar Hauser
Le dandy, solitaire et singulier
L'enfant dans la ville
L'enfant et la fête
Jeu de poupées
Parler de la mort
Parler juste aux enfants (Entretiens avec Danielle Marie Lévy)

Ouvrages sur Françoise Dolto, hors collection :

Les Deux Corps du Moi. Schéma corporel et image du corps en
    psychanalyse, Gérard Guillerault.
Françoise Dolto, c'est la parole qui fait vivre. Une théorie cor-
    porelle du langage. Sous la direction de Willy Barral, et la parti-
    cipation de Marie-Claude Defores, Didier Dumas, Yannick François,
    Gérard Guillerault, Heitor O'Dwyer de Macedo, Juan-David Nasio.
Françoise Dolto, aujourd'hui présente. Actes du colloque de
    l'Unesco, 14-17 janvier 1999. Ouvrage collectif.

AUX ÉDITIONS GALLIMARD JEUNESSE

Paroles pour adolescents ou Le complexe du homard (avec
    Catherine Dolto, en collaboration avec Colette Percheminier).

CHEZ D'AUTRES ÉDITEURS

Le cas Dominique, *Le Seuil*, coll. « Le champ freudien », 1971 ; coll. « Points Essais », 1974.

Psychanalyse et Pédiatrie, *Le Seuil*, 1971 ; coll. « Points Essais », 1976.

Lorsque l'enfant paraît, tomes 1, 2, 3, *Le Seuil*, 1977, 1978, 1979 ; tomes 1, 2, 3 reliés, *Le Seuil*, 1990.

Au jeu du désir. Essais cliniques, *Le Seuil*, 1981 ; coll. « Points Essais », 1988.

Séminaire de psychanalyse d'enfants, tome 1 (en collaboration avec Louis Caldaguès), *Le Seuil*, 1982 ; coll. « Points Essais », 1991.

L'image inconsciente du corps, *Le Seuil*, 1984 ; coll. « Points Essais », 1992.

La cause des enfants, *Laffont*, 1985 ; *Pocket*, 1995.

Séminaire de psychanalyse d'enfants, tome 2 (en collaboration avec Jean-François de Sauverzac), *Le Seuil*, 1985 ; coll. « Points Essais », 1991.

Enfances (photographies Alecio de Andrade), *Le Seuil*, 1986 ; coll. « Points Actuels », 1988.

Dialogues québécois (en collaboration avec Jean-François de Sauverzac), *Le Seuil*, 1987.

L'enfant du miroir, Françoise Dolto, Juan-David Nasio, *Rivages*, 1987 ; *Payot*, 1992.

La cause des adolescents, *Laffont*, 1988 ; *Pocket*, 1997.

Inconscient et Destins, Séminaire de psychanalyse d'enfants, tome 3 (en collaboration avec Jean-François de Sauverzac), *Le Seuil*, 1988 ; coll. « Points Essais », 1991.

Quand les parents se séparent (en collaboration avec Ines Angelino), *Le Seuil*, 1988.

Autoportrait d'une psychanalyste (1934-1988) (en collaboration avec Alain et Colette Manier), *Le Seuil*, 1989 ; coll. « Points Actuels », 1992.

Correspondance (1913-1958) (en collaboration avec Colette Percheminier), *Hatier*, 1991.